Jean, messager de la lumière

© Février 2000
2ᵉ édition: juin 2001

Editions du Parvis
CH-1648 Hauteville / Suisse

Tous droits de reproduction, de traduction et
d'adaptation réservés
Envois postaux dans tous les pays
Imprimé en Suisse
ISBN 2-88022-134-X

Yvette et Robert Cara

Jean, messager de la lumière

Messages de Jean
Enseignements et prières

Editions du Parvis
CH-1648 Hauteville

Le lundi 10 janvier 1983, à Medjugorje, la Sainte Vierge parle du purgatoire à la voyante Mirjana:

«Il y a différents niveaux dont les plus bas sont proches de l'enfer et les plus élevés se rapprochent graduellement du ciel.

«Ce n'est pas le jour des Morts mais à Noël que le plus grand nombre d'âmes quittent le purgatoire. Il y a au purgatoire des âmes qui prient ardemment Dieu, mais pour qui plus aucun parent ou ami ne prie sur terre; Dieu les fait alors bénéficier des prières d'autres personnes.

«Il arrive que Dieu leur permette de se manifester de diverses manières à leurs proches sur terre pour rappeler aux hommes l'existence du purgatoire et solliciter leurs prières auprès de Dieu qui est juste et bon.

«La plupart des hommes vont au purgatoire, beaucoup en enfer; un petit nombre va directement au ciel.»

Extrait d'un message du pape Jean-Paul II à Mgr Raymond Séguy, évêque d'Autun, Chalon et Mâcon, abbé de Cluny, pour la célébration du millénaire de la commémoration des fidèles défunts instaurée par saint Odilon, cinquième abbé de Cluny.

«Le Seigneur se laisse toucher par les supplications de ses enfants, car il est le Dieu des vivants.

«J'encourage donc les catholiques à prier avec ferveur pour les défunts, pour ceux de leurs familles et pour nos frères et sœurs qui sont morts, afin qu'ils obtiennent la rémission des peines dues à leurs péchés et qu'ils entendent l'appel du Seigneur.

«J'étends volontiers ma bénédiction à tous ceux qui, au cours de l'année du millénaire, prieront à l'intention des âmes du purgatoire, qui participeront à l'Eucharistie et qui offriront des sacrifices pour les défunts.»

Du Vatican, le 2 juin 1998

Avant-propos

Ce livre contient des extraits de messages, regroupés par thèmes, donnés du ciel par Jean à ses parents, Robert et Yvette.

La disparition brutale de leur fils tant aimé avait laissé ses parents dans une grande peine qu'ils supportaient en silence. A partir du jour où, sans la moindre initiative de leur part, ils eurent la grâce de communiquer avec leur fils décédé, la peine du deuil a fait place à une grande paix intérieure, une foi renouvelée et une espérance joyeuse soutenue par une intense vie de prière.

Il est essentiel de souligner que ce n'est ni Robert ni Yvette qui ont manifesté ce souhait, mais c'est Jean lui-même, par l'intermédiaire d'une de ses amies, «Mme Colette», qui a persévéré dans sa demande.

Les messages reçus s'intensifient à la mesure de l'évolution de Jean dans le ciel. Il invite ses parents à réaliser un livre et à témoigner partout où ils seront appelés.

Nos vies sont trop centrées sur des préoccupations terrestres; ainsi la présence active de nos défunts nous échappe. Dans ce contexte, Dieu, hélas, est le grand absent.

Jean souligne que nos défunts ont un réel besoin de nos prières pour hâter leur entrée dans le ciel, et qu'en retour, nous sommes entraînés à une vie de foi plus sincère et en conformité avec les exigences de notre baptême.

Jean était un bon chrétien, pourtant, explique-t-il, il est resté sur le parvis du ciel une année, avant d'entrer au paradis le jour de Noël 1997.

Dans la prière nous parlons à Dieu mais nous pouvons aussi parler à nos défunts, leur demander pardon, leur confier nos soucis et ceux qui nous sont chers. Et lorsque des amis manifesteront leur tristesse devant un deuil, nous pourrons leur faire part de notre intimité avec nos vivants de l'au-delà, et les inviter à prier avec nous pour toutes les âmes, hâtant ainsi le jour de leur entrée dans la gloire du Seigneur.

Pourquoi nous priver de la joie d'être accueilli par Dieu dans son Royaume d'amour et de bonheur?

On trouvera en seconde partie de cet ouvrage un recueil de prières qui nous aideront dans cette intercession.

En présentant le témoignage de leur fils Jean, Robert et Yvette répondent à une demande précise de sa part à l'intention de toute personne de bonne volonté.

Alors qu'ils étaient des chrétiens «ordinaires», ils ont pris conscience, par l'intermédiaire de leur fils, d'avoir reçu une mission salutaire dans le cadre de la communion des saints. Loin de se dérober, ils ont compris leur responsabilité en y répondant.

Ce que Jean dit à ses parents, c'est ce que nos propres défunts nous disent aussi. Jean est leur interprète, pour que nous sentions nos défunts plus proches de nous, et pour que nous nous appliquions à prier pour eux, et à éviter le péché.

Convertissons-nous et faisons pénitence pour abréger notre temps au purgatoire. Cette conviction nous remplira de joie et nous donnera une volonté d'agir par amour, émerveillés de cette manifestation de la miséricorde de Dieu.

Que Dieu le Père qui nous a créés par amour pour une vie de sainteté, que Jésus, Fils de Dieu, qui nous a sauvés au prix de si grandes souffrances, que l'Esprit Saint qui prie et aime en nous, avec l'intercession de Marie, Mère de Jésus et notre mère, nous accordent la grâce de percevoir cet appel de nos frères entrés dans leur bienheureuse éternité.

Un prêtre, directeur de conscience
de Robert et Yvette

INTRODUCTION

«Robert, ce que tu fais est bien, tu dois donner l'exemple.
Avec ton épouse vous direz ensemble un chapelet par jour.
Cela, tu le lui imposeras.
Sois tolérant envers tes fils, mon Fils s'en occupe.
Surtout, donne l'exemple et chasse l'angoisse qui est chez les autres, c'est ton devoir.»

Ces quatre phrases, Robert, le père de Jean, les a entendues, le 26 juin 1996 vers 10 h 30, dans l'église du village de Siriko-Grieg, situé près de Medjugorje, en Bosnie-Herzégovine.

L'église est pleine à craquer, le Père Jozo officie, une grande ferveur règne dans ce sanctuaire. Le prêtre s'exprime en italien, sa voix est chaude et prenante. Une interprète l'assiste et transmet ses paroles.

Entendre une voix féminine l'appeler par son prénom sans aucune présence visible surprend Robert, au point que précipitamment il va au fond de l'église.

Très ému, il éprouve un infini plaisir à l'entendre; elle a un timbre indéfinissable et une intensité particulière. Comme elle parle de son Fils, il ne peut s'agir que de la Sainte Vierge Marie.

Sur-le-champ, Robert en parle à son épouse mais avec la ferme intention de ne pas le dire aux autres pèlerins, même pas aux prêtres.

Les voici sur le chemin du retour, chacun fait son témoignage. Un pèlerin met en cause l'authenticité des apparitions, ce qui attriste Robert.

A la surprise de tous, avec passion, il témoigne dans le seul but de réduire à néant l'affirmation du pèlerin.

Marie et Jésus avaient décidé que Robert devait témoigner.

* * *

Agé de quarante-trois ans, Jean est célibataire. Par la prière et par imposition des mains, il soigne. Il vit pauvrement. Avec le prêtre de la paroisse, il entretient d'excellentes relations.

Suite à une hémorragie interne, il décède brutalement le 13 décembre 1996.

* * *

Une infirmière que Jean avait guérie d'un cancer reçoit le 23 février 1997 **une locution intérieure de leur fils**, lui demandant de consoler et de rassurer ses parents et de leur proposer de recevoir ses messages.

Et Jean lui confirme bien:

«Oui, le message venait de Marie: il fallait que mes parents se préparent à mon départ; et la Sainte Vierge a bien voulu le leur faire savoir, car elle choisit ceux qui l'aiment.»

«Je suis dans l'amour et tout le bonheur du ciel, et vous, Colette, je vous remercie d'être la messagère de ma parole pour mes parents et ceux qui m'ont aimé.

«Moi, Jean, je vous suis présent et je vous parle. Vous aussi, soyez dans le bonheur de la foi et d'être choisie et élue de Jésus.

«Il est permis à certaines âmes de communiquer avec l'au-delà, mais il faut être préparé pour cela, il faut être dans une grande foi, un grand amour de Dieu et de Marie. Je donnerai toujours des signes de présence à mes parents. Je suis là pour les aider et les aimer très fort.»

* * *

Troublé et surpris, le papa marque beaucoup d'hésitations pour s'engager dans ce type de correspondance. Dans leur «esprit» Jean insiste beaucoup; d'abord la maman et ensuite le papa y consentent.

«Papa, pourquoi t'ai-je poussé à écrire? Comprends-tu bien pourquoi votre action sur terre est primordiale?

«Si on écrit, si on parle des âmes du purgatoire, les gens prendront conscience que l'au-delà est extrêmement proche d'eux et, de cette façon, ils pourront être sauvés.

«Ton esprit, instinctivement, repousse l'idée de communiquer les messages, mais c'est la seule manière par laquelle nous pouvons œuvrer à la communion des saints.

«Dans cet ensemble, il faut donner une place privilégiée à toutes ces âmes qui, dans le purgatoire, attendent pour monter au paradis.

«Donc, tous les matins, tu me consacreras une heure et demie de ton temps, et par ce moyen d'écriture directe, j'aurai l'occasion de te dicter les instructions du Très-Haut.» (10.04.97)

«Oui, en ce moment, vous êtes à même de comprendre que je suis le facteur qui vous apporte la lettre du ciel, pour laquelle j'ai été autorisé à faire l'enveloppe, mais également à vous exprimer tout mon amour.

«Ce n'est pas uniquement ma volonté qui agit, mais celle de tous les frères du ciel. Nous sommes une multitude à votre service pour indiquer la direction que doivent prendre les hommes de la terre.

«Faites des efforts, offrez vos souffrances, sachez que le bonheur du ciel est si grandiose par rapport à vos peines de la terre. Tous les saints sont avec nous pour vous rapprocher de Marie, de Jésus et pour vous mener au Père.» (09.03.98)

«En cette fin de siècle, pour des raisons plus mercantiles que spirituelles, des livres vont fleurir; mais le vôtre sera d'une importance capitale, il rassurera et indiquera le chemin à suivre.» (11.04.97)

«Simplement, tout simplement, pose-toi la question suivante: "Que m'ont apporté toutes ces communications matinales?" Papa, c'est aux fruits que l'on reconnaît l'arbre.

«Cela vous a apporté une grande sérénité, une vie de prière, une vie de chrétien par l'étude de la Bible et aussi une ouverture d'esprit plus élevée.

«Avez-vous cherché à me contacter? Non, vous n'y aviez jamais pensé, ce contact est voulu par Dieu. La seule personne qui m'ait donné cette possibilité a été Mme Colette. Autant sur terre qu'actuellement au ciel, elle fut et est très proche de moi, ce qui explique ses messages; c'est elle qui m'avait le mieux compris.» (10.02.98)

«Avant mon départ, vous étiez des tièdes. Toutes les épreuves que vous avez subies de mon vivant, et surtout après, et aussi le fait de recevoir mes locutions intérieures guidées par l'Esprit Saint, vous ont fait découvrir l'amour incommensurable de Dieu et de Marie.

«Vous avez été obéissants, ce qui m'a permis, ainsi qu'à vous, de répondre aux demandes du ciel.

«Pour accéder à la sainteté, il ne suffit pas de suivre des conseils généraux qui valent pour tout un chacun. Il faut discerner ce que Dieu demande en particulier. Vous l'avez bien compris par les messages du ciel et par les événements de votre vie.» (04.03.98)

✳ ✳ ✳

Dans cette action du ciel pour les âmes du purgatoire, un prêtre et un moine bénédictin apportent aux parents leur soutien inconditionnel.

✳ ✳ ✳

Jean, dans ses communications, demande avec beaucoup d'insistance, la réalisation d'un livre à partir des témoignages et la création de groupes de prière, le tout pour inciter les hommes à prier en faveur des âmes du purgatoire et les sensibiliser contre l'emprise du démon, particulièrement dans ces temps troublés.

Nous sommes l'ouvrage de Dieu. On est toujours son ouvrage. Comprendre que nous soyons l'ouvrage d'un Dieu, c'est facile; mais que le crucifiement d'un Dieu soit notre ouvrage, voilà ce qui est incompréhensible.

Saint curé d'Ars

Chapitre 1

QUI ÉTAIT JEAN?

Né en 1953, Jean a passé dans la banlieue toulousaine, auprès de ses parents et de sa grand-mère, une jeunesse heureuse.

Il a fréquenté une école catholique, ses études furent assez courtes. Cependant, il se révèle un élève studieux, particulièrement dans le domaine religieux.

A l'âge de 12 ans, pour sa communion solennelle, il participe à une retraite dans une abbaye, à Sainte-Marie-du-Désert. Son comportement vis-à-vis des autres et son mysticisme incitent le prêtre accompagnateur à suggérer à ses parents de l'inscrire au petit séminaire.

Pour diverses raisons, ils n'ont pas jugé utile de donner une suite favorable à cette proposition.

A 17 ans, une hépatite virale lui laisse des séquelles qui déclencheront, durant toute sa vie, beaucoup de souffrances, tant physiques que morales.

Il débute dans son charisme de guérison en rendant la santé à son chef de service. En dehors de son travail, il soigne bénévolement. Il garde toujours patience et constance au milieu de toutes les épreuves, tant intérieures qu'extérieures, spirituelles que corporelles.

Tout cela, il le subit et l'accepte comme venant de la main de Dieu, il se met au service des autres pour aimer, consoler et guérir.

Il obtient de l'administration qui l'emploie sa mise en disponibilité, ceux qui s'adressent à lui étant de plus en plus nombreux.

Evidemment, il soigne gratuitement. Si quelqu'un lui remet une somme d'argent, il en fait profiter une personne dans le besoin.

Sa vie était toute de prière; il faisait prier ses amis et leur conseillait de rencontrer des prêtres. Il chassait le mal des autres, au nom de Jésus et uniquement par Jésus.

Il n'a vécu que 43 ans; il passa rapidement en cette vie, ne faisant que le bien, d'une manière tout à fait désintéressée et en laissant beaucoup d'amis.

Dans son charisme de guérison, il a surtout évité d'être vénéré par ses amis. Il était tout amour au service de son prochain.

Une de ses amies nous parle de Jean

Depuis quelques années, jusqu'à sa mort, j'ai bien connu Jean Cara.

La main de Dieu était là, ce jour où une personne m'envoyait chez lui. J'avais un cancer du sein et je n'en savais rien.

Mais lui, M. Jean (c'est ainsi que je l'appelais), savait, et ses premiers soins ont stoppé cette cruelle maladie, décelée par la médecine plusieurs mois plus tard.

Après l'opération et le traitement, M. Jean m'a soignée sans répit, me redonnant la santé, l'espoir et surtout une très grande force morale. Cette force morale résultait de l'amour de Dieu et de Marie qu'il communiquait sans cesse, autant par ses paroles que par ses actes. Son charisme était très intense, et mon âme s'élevait toujours plus vers le Seigneur, notre Maître.

Dieu était là, bien présent en lui-même, et je sais que cet amour qu'il partageait provenait d'un rayonnement intérieur très profond.

Dieu lui avait donné des dons, et ceux qui l'approchaient ont eu des grâces et le bénéfice de son œuvre.

Il était humble, discret, parlait peu, mais restait très attentif aux autres.

Il n'avait point d'heures pour soulager le corps et l'âme de son prochain. Travaillant le jour, travaillant la nuit, il ne dormait que très peu. Beaucoup de personnes venaient à lui pour être soulagées dans leur âme et dans leur corps.

Mon respect, ma reconnaissance, mon amitié étaient un tout que je vivais auprès de lui. Que le bon grain semé avec l'aide de Dieu ici-bas sur cette terre, donne une récolte fructueuse pour chacun de nous.

✳ ✳ ✳

Luc 16,17: Voici les signes qui accompagneront ceux qui deviendront croyants: en mon nom, ils chasseront les esprits mauvais; ils parleront un langage nouveau; ils prendront les serpents dans leurs mains, et s'ils boivent un poison mortel, il ne leur fera pas de mal; ils imposeront les mains aux malades, et les malades s'en trouveront bien.

Et notre fils confirme ce qu'il était sur terre:

«Je soignais, j'imposais les mains en priant Dieu, Jésus et Marie de tout mon cœur; ainsi je n'étais rien qu'un simple intermédiaire, ce qui me permettait de donner également des conseils quant au devenir des personnes que je recevais; bien souvent elles étaient remplies de doutes; certaines subissaient même l'influence des mauvais esprits.

«C'est d'ailleurs pour cette raison que, pour les délivrer du mal, je passais des heures entières, si ce n'est des journées, à prier. Ensuite, je les orientais vers des prêtres, en particulier vers le Père B.

«Après mon départ, qu'avez-vous trouvé dans mes affaires? Uniquement des prières et des livres religieux.» (07.02.98)

Ne pleurez pas, je vous serai plus utile après ma mort et je vous aiderai plus efficacement que pendant ma vie.
Sainte Thérèse de Lisieux

Une œuvre si petite soit-elle, qui est accomplie dans le secret et avec le désir qu'elle reste inconnue, est plus agréable à Dieu que mille autres que l'on accomplit avec le désir qu'elles soient connues des hommes… et Dieu ne manquera pas de lui rendre les mêmes services avec la même allégresse et la même pureté d'amour.

Saint Jean de la Croix

Pour y arriver vous allez subir des journées de mer calme et également des tempêtes et vous risquerez fort de passer par-dessus bord pour être récupérés par des requins (le diable).

Sur ce bateau vous devez aider le capitaine (le Saint-Père) à maintenir le cap.

Aller au paradis est votre seul but, votre unique but; c'est avec votre cœur et votre âme que vous devez vous diriger dans cette direction. Papa, vous n'êtes pas faits pour être continuellement passagers du bateau.

Dans l'au-delà il existe plusieurs ports, le port de l'enfer pour ceux qui ont cherché à faire couler le navire, le port du purgatoire pour ceux qui n'ont rien fait ou plutôt qui l'ont fait dévier de sa route vers l'au-delà, et enfin le port du paradis pour ceux qui par leur action (actes et prières) ont aidé plus ou moins directement le capitaine du navire.

Evidemment, le meilleur port est celui du Royaume de Dieu où Son Fils Jésus a préparé une place pour chaque homme. Beaucoup transiteront par le parvis pour terminer leur nettoyage.

Ceux qui ont débarqué au port du purgatoire prendront chacun leur billet qui les rapprochera plus ou moins du paradis, mais nombreux seront ceux qui seront plus près de l'enfer que du paradis.

Au paradis, les anges attendent avec joie votre arrivée, ils sont accompagnés de tous les saints qui prient et vous inondent d'amour en attendant que vous preniez place dans la lumière de Dieu. (20.03.99)

rose, bleu; nous y retrouvons également toutes les couleurs possibles.

Jésus est tellement présent au milieu de nous tous, grand, majestueux, si beau, rayonnant de lumière et d'amour.

A Son contact notre âme est transportée pour se confondre avec Son cœur rempli d'une inépuisable tendresse éternelle. Même l'imagination la plus débordante ne pourrait concevoir la vision de Notre Seigneur du ciel.

Notre Maman du ciel, la très miséricordieuse Vierge Marie, si belle, si radieuse, et d'une si grande pureté est accompagnée de toute la Cour céleste.

Avec tous les anges et les saints nous nous prosternons devant Jésus et sa Très Sainte Maman que nous chérissons et dont l'amour est notre nourriture du ciel. C'est indescriptible.

Au ciel, au milieu de paysages somptueux, de fleurs multicolores et de parfums extraordinaires, nous ne marchons pas mais nous glissons et volons, de même nous ne mangeons ni ne buvons, c'est uniquement l'amour de Notre Seigneur qui nous alimente d'une manière permanente.

Nous ne prions plus comme vous sur terre, car nous sommes nous-mêmes action de grâce et louange à Dieu, c'est bien difficile à te faire admettre tout cela.

Vos âmes, nous les connaissons si bien, nous ne vous jugeons pas, mais nous vous aimons. La méchanceté n'existe plus ici, elle reste sur terre ou bien elle accompagne en enfer ceux qui ont refusé Dieu.

Sur terre, les pécheurs sont tellement nombreux. Aussi il nous est si réconfortant de vous voir prier afin que nous présentions à Dieu vos requêtes pour toutes les âmes qui souffrent et attendent en purgatoire.

Nous vivons éternellement hors du temps et notre objectif est de vous aider spirituellement pour vous conduire à Dieu. Nous avons une compréhension et un amour que rien ne trouble. Nous connaissons le passé, le présent et quelques détails sur l'avenir.

Nous avons ce privilège de comprendre cette grande histoire qui fait partie du plan de Dieu notre Créateur. Dans votre mission, continuez à vous perfectionner en restant fidèles au Seigneur.

C'est tout ce que je peux dire du ciel, c'est de cette manière que vivent ceux qui sont au paradis, comme vos parents et amis! (20.05.98)

Dans la Jérusalem céleste, votre papa, votre maman, vos parents et amis vivent hors du temps dans une joie et une béatitude intenses. Ces qualificatifs sont si loin de la réalité, vos cinq sens n'y suffisent pas.

Au ciel, nous sommes bien plus nombreux que vous, nous ne percevons pas de la même manière toute la foule des élus.

Partez du principe que le ciel est un état et non un lieu, tout cela est bien difficile à vous faire comprendre. (20.10.98)

Dieu n'en peut plus d'attendre les invités. Hélas! la salle de réception ne se remplit plus, pourtant elle est immense et sans limites; Jésus dans son ardent amour va descendre parmi vous dans toute sa gloire. Il a pris le chemin de l'amour pour aller à votre rencontre et il va parfaire ce qu'il a commencé il y a deux mille ans.

Le palais du Roi dans la Jérusalem céleste n'est pas une forteresse que les hommes ne pourront pas atteindre, mais sachez que cette habitation se trouve au milieu de vous et la salle du festin est grande ouverte. Oui, bientôt ce sera l'heure de Dieu et de l'Eglise du ciel et tant pis pour ceux qui ont opté pour le démon. (10.02.99)

Au ciel nous sommes chargés d'aider tous ceux qui cheminent sur terre, de leur indiquer la bonne route, à la seule condition qu'ils veuillent bien écouter. Quand il vient au monde, le bébé pleure; de même les hommes généralement ont peur de la mort, ils sont comme des bébés dans le ventre de leur maman, aussi doivent-ils se préparer à entrer dans l'éternité.

Cette nouvelle naissance demande une préparation par une voie de sainteté, représentée par une vie d'adoration quotidienne.

Ce sera une vie simple et humble, sans aucune espèce de fuite, ce sera la spiritualité du pain quotidien, tout simplement le chemin de l'amour. (20.10.98)

Espérance et présent perpétuel

L'au-delà, c'est la dimension essentielle de votre vie. L'espérance chrétienne est le plus splendide cadeau que vous pouvez faire à votre prochain. Tous les propos religieux que vous pouvez tenir n'ont aucun sens s'ils n'ont pas l'au-delà comme ultime explication. N'est-ce pas le but de ce livre: œuvrer pour la communion des saints, avec toutes les messes, chapelets et prières pour les âmes du purgatoire.

L'espérance, c'est accepter l'ensemble de sa vie présente, trouver de la joie dans la souffrance seulement en méditant la Passion du Christ, c'est l'espérance qui offre un avenir dans les promesses de Dieu. Tout cela, dorénavant vous le comprendrez mieux.

Du ciel, du haut de notre éternité, nous suivons votre temps. Notre horloge s'est arrêtée au présent perpétuel, mais elle marque aussi vos heures; vous ne pouvez comprendre.

L'Incarnation du Christ a eu lieu en un temps bien déterminé, de même que Sa mort et Sa Résurrection et pourtant cette réalité dans le temps sort du temps avant et après.

Posez-vous seulement la question suivante: pourquoi, que ce soit à Medjugorje, à Garabandal ou ailleurs, la Sainte Vierge Marie apparaît-elle avec son fils Jésus dans les bras? Tout cela, méditez-le fortement. (20.03.99)

Aller au paradis

Considérez que vous vous trouvez sur une île (votre terre) et que vous prenez un bateau pour aller sur le continent (l'au-delà).

RAISON: **AOUT-SEPTEMBRE 1994**
VERY: **AUGUST-SEPTEMBER 1994**

PLACEMENT BOOKING

LUMIERES EXTÉRIEURES
R LIGHT SETS

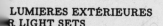

GHT"
lumières. 7W. Couleur extra-résistante. 2200 H.
set. 7W. Extra resistant color. 2200 H.

Allô Mona,

Je te donne le tirée

Tu auras la possibilité
de le faire lire par
d'autres personnes.

Bye! et à bientôt!

Gaby xx

Chapitre 2

IL PART POUR L'ÉTERNITÉ

L'arrivée au ciel

2 Corinthiens 4,16: Même si notre homme extérieur s'en va en la ruine, notre homme intérieur se renouvelle de jour en jour. Car la légère tribulation d'un instant nous prépare jusqu'à l'excès une masse éternelle de gloire, à nous qui ne regardons pas aux choses visibles, mais aux invisibles. Les choses visibles en effet n'ont qu'un temps; les invisibles sont éternelles.

Sagesse 3,1 à 2: Les âmes des justes sont dans la main de Dieu et nul tourment ne les atteindra. Aux yeux des insensés ils ont paru mourir, leur départ a été tenu pour un malheur et leur voyage loin de nous pour un anéantissement, mais eux sont en paix.

✴ ✴ ✴

Il faut partir du principe que la mort est le plus beau cadeau de Dieu, car il permet de retrouver la vraie vie. (06.09.97)

Quand on quitte la terre, c'est tellement surprenant, que l'on se demande ce qui nous arrive; aussi, je n'ai pas tout à fait réalisé mon départ de votre monde. Quand l'âme abandonne le corps, on ne s'en rend pas compte et on se retrouve dans l'au-delà. (19.07.97)

Après avoir quitté ce monde, à l'instant même de ce départ, le jugement de Dieu est prononcé. On peut dire que l'âme subit ce jugement, car, sur-le-champ, elle va voir défiler toute sa vie terrestre.

Ainsi, dans ce film, elle va se voir comme dans une glace, comme elle ne s'est jamais vue: tout ce qu'elle a fait, tant dans le bien que dans le mal, toute la souffrance qu'elle a pu provoquer chez les autres, bien souvent sans s'en rendre compte, parfois par de simples paroles. Tout cet ensemble de bien et de mal donne toute la mesure de son séjour au purgatoire pour se laver de tout ce qui a été négatif. Pour se présenter devant Dieu, devant le Seigneur Notre Père, il est indispensable que l'âme soit pure. (17.03.98)

Je n'étais plus avec vous et pourtant j'ai assisté à mon enterrement. C'est très affligeant d'assister à ses obsèques, de voir toute la famille et de constater que son corps est dans un cercueil.

Regarder ses propres funérailles est chagrinant, surtout de voir tout le monde pleurer et particulièrement ma petite maman et mon papa qui étaient tellement malheureux.

Notre Mère du ciel, si douce et si gentille, après notre examen de conscience, nous donne indulgences et peines. Elle m'aime beaucoup, aussi, grâce à votre chapelet journalier, je suis à la porte du ciel. Ce sont les saints qui m'aident dans les prières pour ma purification. Ils m'ont chargé de la mission de guide pour aider les âmes. (19.07.97)

Marie n'accueille pas toutes les âmes. Elle voit celles qui ont atteint un degré assez élevé, ce sont également les saints et les anges qui sont là pour s'en occuper. (26.04.97)

Après avoir quitté mon corps, mon âme a été attirée par une lumière très forte, j'étais dans une joie profonde, c'est comme un chant d'allégresse. Je ressentais une chaleur d'amour, mille fois plus forte que sur terre. Les mots ne suffisent pas pour expliquer tout cela, c'est si beau. (21.03.97)

Nous passons par un tunnel et ensuite nous trouvons une grande lumière, des fleurs, des anges qui nous accompagnent.

Nous avons la grande joie et le grand bonheur d'être également accueillis par tous les membres de la famille. A leurs visages, nous reconnaissons ceux qui nous ont accompagnés sur terre, mais ceux des générations précédentes sont innombrables.

Tous, ils chantent, ils dansent avec les anges, ils nous font la fête comme lors d'un mariage. Ils sont heureux que je puisse les aider à monter vers la grande lumière. Après la fête, ils sont nombreux à rejoindre les petites lumières (situées loin de la porte du ciel), cela est si triste pour eux. (21.04.97)

Ma très grande récompense est d'avoir retrouvé tous les membres de la famille, c'est merveilleux. Libérés des liens de la matière et du péché, nous n'avons plus à nous préoccuper de nous-mêmes, ce qui nous assure une plus grande liberté. (16.04.97)

Sur terre, vous utilisez ce que Dieu a mis à votre disposition. Dans l'au-delà, c'est nous-mêmes qui réalisons notre environnement et il est réel. On peut dire que nous agissons uniquement par la pensée. (05.07.97)

Il y a un an, ma dépouille, c'est-à-dire mon vêtement terrestre, rejoignait les éléments de la terre, tandis que mon âme s'envolait vers la vraie vie, cette vie que chaque âme est appelée à connaître. (13.12.97)

Des âmes n'ont pas fait tout ce qu'elles auraient dû réaliser sur la terre, c'est pourquoi elles sont si malheureuses; il nous appartient de les soutenir, de les aider à prier, surtout si leur famille de la terre les oublie. Selon leurs péchés et selon leur vie spirituelle, au purgatoire le temps peut être très long.

Actuellement, nous évoluons auprès des guides ecclésiastiques, ils nous instruisent pour entrer encore plus dans la lumière de Dieu. Comme je te l'ai déjà dit, ma petite maman, je suis «guide de lumière» et si heureux de pouvoir aider et former d'autres âmes destinées à devenir guides spirituels.

Je te rappelle que nous avons été choisis par Dieu, c'est une si grande grâce. Je suis tellement heureux d'avoir cette possibilité de te combler d'amour par tous ces parfums célestes. Tu ne peux le comprendre tant que tu es sur terre; tu verras plus tard, ma gentille maman que j'aime tant.

Nous évoluons très vite, notre esprit détaché de la matière nous permet de comprendre plus rapidement que sur la terre.

Notre âme est libérée et notre corps spirituel est léger comme un papillon. Ainsi nous vivons dans la gloire de Dieu en communion permanente avec Jésus et Marie, tous les saints et les anges.

C'est d'une beauté céleste, ma petite maman, si tu voyais tout cet amour avec nos frères du ciel.

Au ciel, rien n'est perdu, nous avons donc la possibilité de nous instruire et de réaliser ce que nous n'avons pas pu faire sur la terre. On dit souvent sur votre terre: «J'ai raté ma vie.» Cela est faux, rien n'est perdu, la vie continue au ciel. (22.07.98)

1 Timothée 3,16: Sois attentif à ta conduite et à ton enseignement; mets-y de la persévérance. En agissant ainsi, tu obtiendras le salut, pour toi-même et pour ceux qui t'écoutent.

Ma petite maman, je suis près de toi. Tout à l'heure, vous parliez avec papa de ma mission de guide de lumière. Actuellement je m'instruis pour pouvoir enseigner les autres guides qui sont dans le purgatoire et qui aident les âmes en difficulté.

Mon action consiste également à aider les personnes de la terre qui prient et qui soignent par la prière.

Oui, pour être guide de lumière il faut avoir évolué sur le plan spirituel, j'ai toujours cherché à mieux comprendre les Ecritures saintes et cela m'a été compté lors de mon départ de la terre. (25.07.98)

Au ciel nous continuons ce que nous avons été sur terre; moi-même j'aidais, je conseillais, parfois je réprimandais, mais tout cela, pour ramener les gens sur la bonne route. Et ce n'était pas une mission de tout repos, car le Malin agissait pour neutraliser mon action. Souvent, il me jetait à terre et parfois j'éprouvais des difficultés pour me relever et c'était alors avec encore plus de détermination que je poursuivais mon combat.

Sur terre, en quelque sorte, j'étais un guide, et au ciel je continue. A cet effet, j'ai beaucoup d'activités, mais c'est le secret du ciel, que pour maintes raisons vous n'avez pas à connaître.
(24.08.98)

Toute âme doit être persuadée que si Dieu n'exauce pas immédiatement ses prières en la secourant dans ses nécessités, il ne manquera pas de la secourir en temps opportun, pourvu qu'elle ne perde pas courage et ne cesse pas de l'invoquer.

Saint Jean de la Croix

Chapitre 3

NOTRE MONDE, OÙ VA-T-IL?

Ephésiens 4,22-24: Il vous faut abandonner votre premier genre de vie et dépouiller le vieil homme qui va se corrompant au fil des convoitises décevantes, pour vous renouveler par une transformation spirituelle de votre jugement et revêtir l'homme nouveau qui a été créé selon Dieu, dans la justice et la sainteté de la vérité.

* * *

La terre est bien le passage obligé de chaque âme, c'est la possibilité de tendre vers le mieux, d'éviter les pièges du diable et surtout utiliser votre libre-arbitre à bon escient.

Vous êtes le chantier du ciel et suivant ce que vous avez fait, ce que vous auriez dû faire et que vous n'avez pas fait, c'est au purgatoire que vous réaliserez le complément pour vous présenter propres devant Dieu. (25.06.98)

Hier, quand tu étais allongé sur le canapé, ta pensée m'a rejoint et ensemble, partant de la parabole du fils prodigue, nous avons exposé en détail votre action sur cette terre.

Dans le fils prodigue, considère que Dieu est ton Père, la Sainte Vierge ta maman, et vous autres, le «fils prodigue».

Ce fils prodigue (toi) n'a pratiquement pas vécu avec le Père, car pendant longtemps tu l'as même ignoré. Il t'aime tant, notre Père à tous, qu'Il te donne de Ses nouvelles et tu ne lis même pas Ses lettres (la Bible).

Pour te ramener au bercail, Il a dû te secouer, mettre des obstacles sur cette route qui t'éloignait de la bonne direction.

Ces obstacles, ce sont tes souffrances physiques et morales, mais aussi des rencontres, au cours desquelles tu as mesuré tout le malheur des autres. Tout cela t'a amené à réfléchir sur le sens de ta vie.

Tu as commencé par donner de tes nouvelles à ton Papa, ce sont tes pensées, tes prières; et aussi plus tard tu as fait ta toilette (la confession), ce qui t'a permis de manger à la table du Seigneur (l'Eucharistie).

Mais tu étais encore trop éloigné, et Il a fait intervenir sa Maman (à Medjugorje) pour te ramener à la maison du Père; Marie t'a parlé et tu l'as écoutée.

A partir de là, tu as repris la route de la maison familiale. Cette route comportait un obstacle énorme, ce fut mon départ. Cet obstacle franchi, tu t'es enfin retrouvé dans la Maison du Père.

Et depuis, ton seul objectif est de faire connaître la Maison du Père et d'inviter le plus de participants possibles à la fête. (16.04.97)

Galates 5,8: Qui sème dans la chair, récoltera de la chair la corruption, qui sème dans l'esprit récoltera de l'esprit la vie éternelle. Ne nous lassons pas de faire le bien, en son temps viendra la récolte, si nous ne nous relâchons pas.

L'homme oublie le sens de la vie et surtout son origine pour ne s'intéresser qu'au matériel. Il oublie surtout Dieu qui est connaissance et amour. L'intelligence de la race humaine doit être soutenue et dirigée par la spiritualité.

La science est devenue l'esclave des intérêts économiques, l'homme est entré dans la société de consommation en se créant des besoins qui conduisent au gaspillage et particulièrement à la pollution.

Le sens du sacré a été perdu entièrement, le clonage se développe à l'ombre des laboratoires, tout est devenu objet de commerce: le sang, les organes, oui, c'est l'esprit du mal qui s'affiche.

La pollution chimique étouffe la terre, c'est la dégradation de l'environnement, mais c'est surtout la pollution des âmes qui refusent Dieu. Les pensées négatives des hommes construisent des images qui pèsent sur votre psychisme d'une manière quasi permanente, c'est le découragement et la morosité qui dominent. (29.06.98)

L'homme est fait de positif et de négatif; en chacun il faut considérer le positif, se regarder soi-même, faire son examen de conscience et ne pas se laisser entraîner par ses passions. Tout cela il faut le faire avec humilité et se considérer inférieur aux autres.

Vous devez renoncer à vous-mêmes pour vous soumettre à la volonté du ciel, c'est de cette manière que vous progresserez spirituellement.

Vis-à-vis de l'autre, n'ayez aucun sentiment d'humeur, mais cherchez à mieux le comprendre. Si chacun arrivait à dompter ses travers ce serait si bien; si chacun savait écouter l'autre ce serait parfait. Hélas, il en est bien différemment.

Soyez bien plus conciliants à l'égard des autres et sachez faire taire votre ego. Si vous faites dépendre votre paix de personnes que vous rencontrez, vous n'éprouverez que difficultés et revers. Dieu n'est-il pas présent dans votre pensée, aussi soyez au-dessus de toutes ces contingences humaines. (07.07.98)

La vie est faite de quelques plaisirs et de beaucoup de souffrances et de déceptions. Les événements ne se déroulent pas toujours comme on le désire. Sur votre terre, le diable et sa cohorte de mauvais esprits redoublent d'activité, particulièrement en cette fin des temps.

Voyez autour de vous l'hécatombe. Evidemment lorsqu'il est question de mensonge, de vol, de convoiter le bien de son prochain, les chrétiens généralement acceptent les commandements de Dieu. Quand il s'agit de morale sexuelle, beaucoup d'hommes pensent à l'épanouissement de l'être humain par la libération du corps et alors, à quoi assiste-t-on? A la contraception, à l'avortement, aux relations avant le mariage, aux adultères et même, à des rapports contre nature.

Dans le domaine de la perversion, de l'orgueil et du pouvoir, le diable mène la danse. Les commandements n'ont pas été donnés aux hommes pour flatter leurs passions ni pour satisfaire leurs désirs terrestres, mais pour lutter contre Lucifer.

Au cours de vos témoignages, parlez de tout cela; ne jetez pas la pierre à tous ceux qui pèchent, mais demandez-leur de retrouver le discernement pour accéder au ciel.

La première fois qu'ils avaient trahi les commandements, n'ont-ils pas été envahis par la honte et le regret?

Il faut inciter les hommes à aspirer à la pureté en respectant leur corps, ce corps qui est le temple de l'Esprit Saint.

Pour progresser et retrouver la bonne route, pour se nettoyer, pour faire leur lessive ils ont la confession, en ayant surtout le désir de ne pas persister dans le mal. (27.05.98)

Luc 21,25-27: Sur la terre, les nations seront dans l'angoisse, inquiètes du fracas de la mer et des flots; des hommes défailliront de frayeur, dans l'attente de ce qui menace le monde habité, car les puissances des cieux seront ébranlées. Et alors on verra le Fils de l'homme venant dans une nuée avec puissance et grande gloire.

Si ton arrière-grand-père revenait sur terre, en découvrant le Journal télévisé, il serait persuadé que vous vous trouvez en pleine Apocalypse. Que verrait-il? Des inondations gigantesques, des problèmes majeurs de pollution, des famines et des massacres en Afrique, des guerres de religion en Irlande, des expériences transgéniques.

En permanence, ce sont des cadavres qui jonchent les écrans de télévision et quand ils ne sont pas dans les actualités, vous les retrouvez dans des films où, en plus, ils sont accompagnés de scènes de violence, de sexe, de drogue si ce n'est de racisme. Face à tout cela, l'homme ne réagit plus; c'est devenu une banalité, ce n'est qu'un simple spectacle, vite oublié par des émissions, des divertissements où les hommes adorent des idoles de pacotille.

L'idéal serait que la télévision soit une fenêtre ouverte sur le monde en faisant honneur au Créateur. Non, elle est devenue une bête de l'Apocalypse qui règne sur votre terre pour vous placer sous le joug du diable.

C'est un grand bouleversement qui vous guette dans cette fin des temps; les trois jours de ténèbres sera l'épreuve la plus atroce que vous aurez à subir car, après avoir supporté le soubresaut de la terre, vous aurez à encaisser l'angoisse qui viendra du ciel. Mais ensuite viendra un fleuve de grâces et d'amour où Jésus apparaîtra dans toute Sa gloire pour instaurer Son règne dans le monde, où Satan, enchaîné, sera détruit. (20.08.98)

L'avenir de la terre est sombre, il suffit de lire le journal ou de suivre les informations télévisées pour constater que le mal se déchaîne. En plus des tremblements de terre, vous aurez des incendies gigantesques, des inondations; de plus, la terre, l'eau et l'atmosphère sont polluées, le risque d'explosion atomique est latent, les sectes prolifèrent, les conflits ethniques se développent et le Sida s'étend.

Vous êtes également envahis par les habitants des pays pauvres, qui par leurs misères provoquent un climat de défiance. Les pays du Moyen-Orient représentent, par leurs intégristes, un danger potentiel.

Le choc effroyable de la fin des temps se fera par le biais de l'eau, de la terre, de l'air et surtout du feu. Ce sont bien ces trois éléments, l'air, l'eau et la terre, qui, par les hommes, ont subi tant d'agressions et qui leur renvoient toutes les dégradations endurées.

Surgira de ce chaos indescriptible, l'antéchrist qui apparaîtra comme un homme providentiel, il se présentera comme un homme d'Eglise et de prière. A cet effet lisez «Daniel» et vous comprendrez mieux.

Daniel 8, 24-25: La puissance d'un roi au visage fier, sachant pénétrer les énigmes croîtra en force, mais non par sa propre puissance, il tramera des choses inouïes, il prospérera dans ses entreprises, il détruira des puissants et le peuple des saints. Et, par son intelligence, la trahison réussira entre ses mains. Il s'exaltera dans son cœur et détruira un grand nombre par surprise. Il s'opposera au Prince des princes mais — sans acte de main — il sera brisé.

Ces grandes tribulations apocalyptiques seront effacées par le retour du Christ glorieux et la terre sera remplie de bonheur et de paix intenses. (01.07.98)

Sachez qu'à cet instant, des hommes en grand nombre de par le monde sont à l'agonie, pensez à cet océan de souffrances, pensez à tous ceux qui franchissent la rive avec soulagement et qui au purgatoire ont tant besoin de vos prières.

Dans vos prières, unissez-vous à toutes les saintes messes qui se célèbrent à cet instant même dans le monde entier, c'est tellement important pour les âmes qui quittent la terre. (22.08.98)

Pourquoi tant de personnes de votre terre percevraient-elles des messages de l'au-delà, si ce n'était pour les mettre en garde, la fin des temps étant si proche.

La Bible précise que la date exacte, personne ne la connaît, ni les anges des cieux, ni le Fils, mais seulement le Père. Il est permis d'imaginer que toutes les étapes qui annoncent l'Apocalypse ont été franchies. (29.07.98)

Quand on lutte pour le bien, il faut se transformer en croisé, rester exemplaire et suivre sa route coûte que coûte, c'est ce que vous faites actuellement.

Comme dans la fable du «laboureur et de ses enfants», vous êtes les bœufs qui tirent la charrue. La charrue représente le Livre et moi derrière, je tiens les rênes et donne de la voix.

Le terrain à l'intérieur duquel vivent les âmes est endurci, et parfois des pierres, placées par le Malin, sont là pour vous faire dévier. Nous sommes une très bonne équipe et ensemble nous réaliserons un sillon très droit pour que toutes ces âmes puissent émerger des ténèbres. (18.06.97)

Si vous aviez mieux cherché à comprendre la Bible, vous auriez mieux admis que votre existence sur terre est un passage, une dimension essentielle à votre vie.

Réjouissez-vous de ce que vous êtes et comparez-vous aux humiliés, aux prisonniers, aux malades, aux offensés. L'espérance qui est en vous, c'est bien la plus grande grâce que vous pouvez avoir. (25.06.98)

Au cours de ses nombreuses apparitions, la Sainte Vierge vous demande de prier pour enrayer la course de l'humanité vers sa destruction. A la fin des temps, il y aura des signes visibles par le monde entier, vous entrez dans cette période de grande confusion et vous allez au-devant d'un vaste cataclysme.

Pendant trois jours, sous la menace d'être anéantis, les hommes de la terre se rassembleront, prieront, communieront, c'est de cette manière qu'envahie par l'Esprit Saint, la conscience des hommes sera modifiée dans un sens positif. (27.06.98)

Sur votre terre rien ne vous appartient, même pas vos vêtements, même pas tout ce qui se trouve dans votre maison, tout vous est prêté. Ne vivez pas pour l'argent, d'ailleurs il faut savoir que la richesse elle-même est une épreuve, vous l'avez bien vu hier soir à cette émission télévisée, croyez-vous que ces milliardaires sont heureux quand ils se suicident? (27.08.98)

Voyez, tous les efforts du pape qui cherche à communiquer la foi et à indiquer le bon chemin à la jeunesse du monde entier. S'il n'était pas dirigé par l'Esprit Saint, croyez-vous qu'il aurait la force d'agir ainsi? Sa Maman, la Sainte Vierge Marie est bien là, pour diriger ses pas et le soutenir, également pour le protéger car il est, en permanence, en danger de mort. (23.08.97)

Le Saint-Père montre beaucoup de courage, sans s'occuper de la fatigue ni des nombreux périls; il fait comme Jésus le chemin de croix pour accomplir son ministère apostolique de successeur de Pierre, il nous montre le chemin de l'amour. (25.08.98)

Vous vous êtes complètement libérés du désir de posséder, de dominer, d'éblouir, ce qui permet à vos yeux du corps et à ceux de l'âme de percevoir toutes les beautés de la nature et de l'univers.

Vous goûtez à la joie et au bonheur de donner sans cesse l'amour aux autres et sans en recevoir, votre seul objectif étant de semer le bonheur, cet instant de gratuité.

Souriez, souriez, le sourire est une grande valeur, que vous devez faire naître chez les autres, par votre exemple. Quand vous constaterez un regard confiant qui éclairera un visage ami, vous aurez réussi pour avoir ouvert son cœur à l'amour.

Vous devez aimer, même ceux qui sont les plus déroutants, les plus désagréables, transmettez-leur le virus de l'amour par votre attitude, vos paroles, votre regard, vos gestes et surtout par vos actes. Tout simplement, vous devez faire connaître l'amour par votre comportement, par la prière confiante et l'action au service de vos frères. (25.07.97)

Il faut faire vite, car vous arrivez à la fin des temps, ce sujet a été bien souvent évoqué dans les messages des frères du ciel.

La première fois, Jésus est entré dans l'histoire de votre monde comme un nouveau-né très vulnérable, mais cette fois-ci Il viendra avec puissance et gloire, au moment opportun, choisi par Dieu. Tout le monde le verra et le reconnaîtra.

Comme c'est précisé dans la Bible, Jésus reviendra pour amener à la vie éternelle ceux qui ont choisi Dieu. Evidemment cela dépendra de la vie que chacun aura menée durant son pèlerinage terrestre. (15.09.98)

Quels que soient les intentions et les actes des hommes, c'est Dieu qui règne et quoi qu'ils fassent ils n'empêcheront pas sa volonté de se faire sur terre.

Les catholiques sont de plus en plus attaqués, persécutés par les athées et les irréligieux qui d'une manière insidieuse tolèrent l'avortement et le clonage, en un mot, tout ce qui d'une façon ou d'une autre écarte l'homme de Dieu, son Créateur.

Fort heureusement toute cette désolation va cesser par la venue soudaine de Jésus, tout le monde le verra et reconnaîtra qu'il a autorité sur tout pouvoir humain ou diabolique.

Aucune injustice ne sera commise, tout dépendra de l'attitude que chacun aura prise à l'égard de Dieu durant sa vie terrestre et même au dernier instant, tout homme aura la possibilité de se rattraper.

Une vie glorieuse s'ouvrira, ce sera le nouveau ciel et la nouvelle terre promis par Dieu. Ce sera un lien d'amour et de bonheur parfait, de paix et de satisfaction éternelle, ce sera si merveilleux qu'aucun mot ne peut le décrire et qu'aucune imagination ne saurait le concevoir, ce sera la fin de tout ce qui est mauvais: douleur, souffrance, violence, haine, et tourment n'existeront plus car la bête immonde aura été vaincue. (29.01.99)

Nous avons tellement besoin de gens de bonne volonté pour sensibiliser à la prière toutes ces personnes qui vivent hors de la foi, d'autant plus que les événements vont se précipiter, et cette atmosphère qu'elles ont perturbée se retourne contre elles. Voyez: les ouragans, les tremblements de terre deviennent de plus en plus dévastateurs, les volcans vont se réveiller, les torrents de pluie créent des inondations. De même les hommes deviennent inconstants, la violence domine autant par le fait de dirigeants de certains pays que par une partie de cette jeunesse désemparée qui se drogue, boit et casse tout. (18.05.99)

La fin des temps est proche et les jours sont comptés, mais ensuite, sur votre terre, vous baignerez dans la lumière de Dieu. Tout sera amour, les gens se convertiront car ils verront des signes dans le ciel. Ils se plongeront dans la prière, ils deviendront tout amour. Les portes des maisons s'ouvriront, les gens se rassembleront pour prier, ce sera l'amour qui régnera, la jalousie n'existera plus, ce sera une nouvelle terre, les hommes s'aimeront tous comme des frères et deviendront doux comme des agneaux.

Votre manière de vivre ne peut plus durer, il y a trop d'égoïsme.

Pour Dieu rien n'est impossible: tout changera en bien sur votre terre, soyez-en persuadés.

La Jérusalem céleste descendra sur votre terre, ce sera le paradis sur terre plus tôt que vous ne croyez. (05.08.99)

La source des délices intimes ne vient pas de la terre, c'est du côté du Ciel qu'il faut porter nos désirs sans les amoindrir par l'appât d'un autre goût... Voilà pourquoi celui qui cherche une satisfaction dans un objet créé quelconque ne garde pas son cœur vide de tout pour que Dieu le remplisse de ses ineffables délices.

Paroles de saint Jean de la Croix

Je dois donc vivre de Jésus, et comme fin celle de Jésus lui-même. Que notre fin est sublime!

Je suis tenue plus que tout autre à ne m'attacher qu'à Jésus-Christ, à lui demander sa lumière, sa force, sa vie surnaturelle, à tendre à la fin surnaturelle en Lui et avec Lui...

Sainte Bernadette

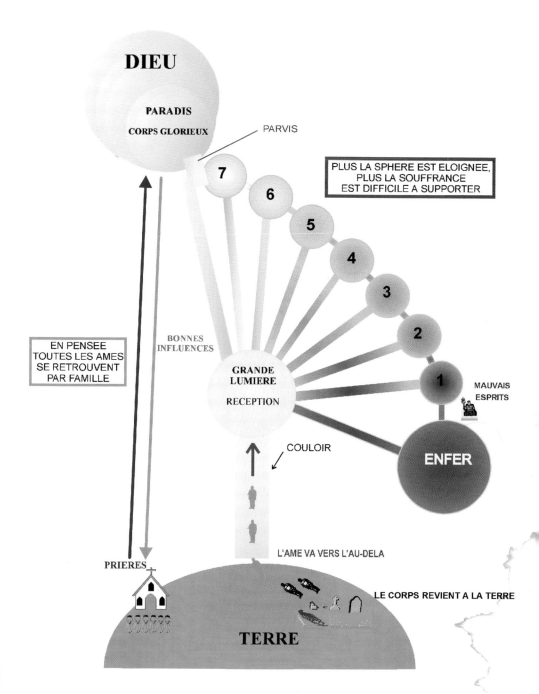

DESCRIPTION SCHEMATIQUE DE L'AU-DELA
INSPIREE LE 29 JANVIER 1998 PAR JEAN

Chapitre 4

LA FAMILLE

L'Ecclésiastique 3,1: Enfants, écoutez-moi, je suis votre Père, faites ce que je vous dis, afin d'être sauvés. Car le Seigneur glorifie le père dans ses enfants, Il fortifie le droit de la mère sur ses fils. Celui qui honore son père expie ses fautes, celui qui glorifie sa mère est comme quelqu'un qui amasse un trésor.

* * *

La famille est la cellule de base, tant au ciel que sur la terre. Au purgatoire, comme au paradis, les parents sont très nombreux.

Hélas! au fil des ans, des siècles, le mal s'est amplifié sur la terre et maintenant vous êtes si loin de la pureté. Plus l'homme avance dans le matérialisme, plus il veut être plus fort que Dieu. Ainsi, il est en train de scier la branche sur laquelle il se trouve et ce sera la fin des temps. (18.11.97)

Dans la vraie vie, celle de l'au-delà, au purgatoire, la famille se trouve en parfaite sécurité, car elle sait bien qu'elle va vers Dieu. C'est malgré tout une vie de bonheur et de progrès, car les personnes continuent d'apprendre, de croître par la prière, dans l'amour, et de s'employer pour les autres, en particulier pour les plus éloignés de la porte du paradis.

Oui, ils vivent pour servir ceux qu'ils aiment par leurs pensées. Pour vous, gens de la terre, leurs interventions sont si fréquentes et si diverses.

Maintenant vous respectez mieux la mémoire des parents et des amis qui sont passés dans l'invisible, ainsi votre passage dans l'au-delà se réalisera avec facilité et bonheur. (16.12.97)

La famille doit être soudée. L'harmonie dans le couple est très importante. Les enfants ont besoin de leur père et de leur mère, ce sont des garde-fous pour eux, des protecteurs sur qui ils peuvent s'appuyer pour les aider et les rappeler à l'ordre. S'il y a mésentente dans le couple, il y a déséquilibre chez l'enfant, même si apparemment tout paraît bien se passer. (14.05.98)

Dans les familles, il serait très bénéfique que les parents parlent de Jésus et de Marie comme de membres de la famille, et apprennent ainsi à leurs enfants à se tourner vers le spirituel. (12.05.98)

Il est fort dommage que l'intimité familiale soit perturbée par la télévision: cette invasion d'images et d'idées est un envoûtement très séduisant qui pousse vers le matérialisme.

Fort heureusement l'esprit des enfants reste très ouvert à l'existence de Jésus et de Marie — cette si douce et aimante Maman.

Il est très positif de rappeler à vos enfants, au cours de conversations et dans les dialogues, la présence constante de Dieu et ainsi plus facilement et plus naturellement les amener à prier.

Cela peut se faire par quelques mots avant le repas et surtout le soir avant qu'ils ne s'endorment. Oui, le soir, c'est plus facile, vous les retrouverez au lit et, dans un recueillement affectueux et simple, faire la prière du cœur, celle que les parents sont poussés à dire naturellement, celle qui marquera les circonstances de la journée. Ces minutes d'attention commune seront des minutes de complicité dans un mouvement d'amour. Cela restera dans le cœur de l'enfant et des parents un lien puissant.

L'existence des vérités éternelles vécue de cette manière entre l'enfant, le papa, la maman et les grands-parents, confortera une foi toute prête à s'intensifier.

Plus tard, dans leur vie d'adultes, dans les épreuves, ils se remémoreront et sentiront au fond d'eux-mêmes monter le souvenir de cette intimité qu'ils ont eue avec leurs parents.

Ils auront acquis un magnifique et très durable capital d'amour et de foi confiante. L'amour partagé, n'est-ce pas le but de notre pèlerinage sur terre pour nous présenter plus propres devant le Très-Haut? (26.12.97)

Ces dernières journées ont été si riches en événements, et plus que jamais vous avez l'affirmation de votre mission. Tout simplement, il s'agit de persuader les hommes que dans l'au-delà se trouve la plus grande partie de leur famille; tous leurs membres ne sont pas forcément au paradis, beaucoup sont en route sur le chemin du purgatoire, à une distance plus ou moins longue.

Il faut clamer que la mort n'est pas la fin de l'existence, mais le passage à une vie nouvelle et suivant le comportement sur terre, les hommes auront un chemin plus ou moins long à parcourir pour rencontrer notre Créateur.

Ce chemin, vous êtes en train de le programmer pour le raccourcir; il vous appartient en premier lieu de faire le point de votre route actuelle. A cet effet vous disposez des messes, des prières, des méditations et surtout des confessions. A partir de là, il vous appartient de prendre le bon chemin; pour ce faire, vous devez donner de vos nouvelles à vos frères défunts: ce seront vos pensées et particulièrement vos prières surtout des prières du cœur. Ainsi il sera primordial de demander pour eux des messes le plus souvent possible, et de communier à leurs intentions.

A leur tour, ils prieront pour vous, vous aideront, vous guideront et vous sentirez si bien leur présence. Ce sera au sein de votre famille une réunion d'amour entre le monde visible et invisible.

Oui, gens de la terre, vous devez faire le point de tous les défunts de vos familles, faire un grand ratissage, rechercher également ceux que vous avez à peine connus, rechercher ceux dont vous avez entendu parler, soit en bien soit en mal.

Effectivement, il s'agit de reconstituer un arbre généalogique pour n'oublier personne. Cette liste une fois établie, dans vos prières mettez-la sous vos yeux, ainsi vous réaliserez un contact d'amour avec l'au-delà. Faites la même chose pour tous les membres de votre famille qui se trouvent sur terre, car immanquablement certains seront très éloignés de vous dans leurs idées et dans leur comportement. Oui, papa, c'est ainsi que vous réaliserez un bilan complet de votre famille, car tous ceux qui vivent sur terre, à quel endroit se retrouveront-ils dans l'au-delà? Le meilleur service que vous devez leur rendre est de leur ouvrir les yeux et de prier pour eux.

Oui, mon petit papa, il était très important de parler de tout cela dans vos témoignages, d'ailleurs c'est uniquement pour les âmes du purgatoire que vous êtes devenus les récepteurs des communications des frères du ciel. (10.08.98)

La **Toussaint** est si proche, les cimetières prennent un air de fête, les hommes et femmes que vous y rencontrerez auront surtout oublié que ceux qu'ils aiment sont vivants et leur habituelle indifférence les peine. La plupart des personnes préfèrent consacrer leurs moments de liberté à des futilités matérielles plutôt qu'à la prière et à quelques pensées pour ceux qui sont de l'autre côté de la rive.

Ce serait si bien, si seulement ce jour-là, davantage de personnes ressentaient la présence de leurs aimés du ciel, des saints et saintes qu'ils vénèrent, de la Très Sainte Vierge Marie et de Notre-Seigneur, Lui-même. (29.10.98)

Votre prière devrait être encore plus fervente. Nous-mêmes nous prions pour vous et veillons sur vous. Cet échange d'amour entretient nos âmes dans une relation concrète et réelle qui est pour tous une source d'enrichissement et d'épanouissement spirituels. (26.10.98)

La vie sur terre est un combat. Pour accéder dans la Jérusalem céleste, une armée d'anges, de bons esprits sont autour de vous pour indiquer le chemin. Le ciel tend toujours l'oreille à vos prières et aux murmures de votre cœur. (05.11.98)

Hier, tu as parlé des signes que des personnes, qui ont perdu un être cher, pourraient recevoir de l'au-delà. Surtout, elles ne doivent pas forcer le ciel à se manifester, comme le font ceux qui s'adressent à des médiums de profession. Tout simplement, la personne doit prier, envoyer des pensées d'amour et elle sera remerciée par des signes que lui adressera l'être qu'elle chérit. (05.11.98)

Ces derniers jours ont été si riches en événements qui vous ont confirmé toute l'importance du livre et des témoignages en faveur des âmes du purgatoire.

Le point culminant et celui qui a le plus apporté à de très nombreuses personnes a été votre témoignage d'Albi. Ces personnes ont pris conscience de toute l'importance de la prière, des rosaires et des messes en faveur des âmes du purgatoire. Ainsi, elles ont repris contact, prié avec tout leur cœur pour tous leurs défunts dont certains étaient tombés dans les oubliettes. Merci pour toutes ces âmes qui ont retrouvé l'amour de leurs parents restés sur terre. Ce n'était pas seulement une centaine d'âmes qui se trouvaient à la rotonde de l'évêché, mais plusieurs milliers du ciel, sans oublier la Cour céleste, c'était très fort; tous les deux, vous avez été très persuasifs. (09.11.98)

Vous devez mieux comprendre tous ces jeunes qui ne connaissent et ne voient autour d'eux que confort, des lieux de détente et de loisirs encombrés, des vitrines de magasins croulant sous toutes les séductions de la consommation. Ainsi la finalité de l'existence humaine se réduit à la seule satisfaction de besoins matériels.

La jeunesse est avide d'idéal et d'espérance, la jeunesse est généreuse, elle a tant besoin d'avoir un objectif de vie et non de devenir une consommatrice sans âme, donc égoïste, méchante et tellement malheureuse. Les suicides des jeunes sont de plus en plus nombreux. L'homme vit dans la souffrance, mais pour mieux comprendre la souffrance, il doit se poser des questions et immanquablement il découvrira Dieu. (10.02.99)

Les Béatitudes

Voyant les foules, Jésus gravit la montagne. Et prenant la parole, il les enseignait en disant:

Heureux les pauvres de cœur: le Royaume des cieux est à eux!

Heureux les doux: ils obtiendront la terre promise!

Heureux ceux qui pleurent: ils seront consolés!

Heureux ceux qui ont faim et soif de la justice:
   ils seront rassasiés!

Heureux les miséricordieux: ils obtiendront miséricorde!

Heureux les cœurs purs: ils verront Dieu!

Heureux les artisans de paix: ils seront appelés fils de Dieu!

Heureux ceux qui sont persécutés pour la justice:
   le Royaume des cieux est à eux!

Heureux serez-vous si l'on vous insulte, si l'on vous persécute
   et si l'on dit faussement toute sorte de mal contre vous,
   à cause de moi.

Réjouissez-vous, soyez dans l'allégresse car votre récompense
   sera grande dans les cieux!

(Evangile de saint Matthieu 5,1-12)

Chapitre 5

L'AU-DELÀ

<u>Romains 8,12-17</u>: Ainsi mes frères nous avons une dette, mais ce n'est pas envers la chair: nous n'avons pas à vivre sous l'emprise de la chair. Car si vous vivez sous l'emprise de la chair vous devez mourir: mais si par l'Esprit, vous tuez les désordres de l'homme pécheur, vous vivrez. En effet, tous ceux qui se laissent conduire par l'Esprit de Dieu, ceux-là sont fils de Dieu. L'esprit que vous avez reçu ne fait pas de vous des esclaves, des gens qui ont encore peur; poussés par cet esprit, nous crions vers le Père en l'appelant Abba!

* * *

La vie sur terre

L'homme a perdu sa chasteté, aussi a-t-il perdu l'espérance, il sombre dans le découragement et se réfugie dans le matérialisme, c'est ce qui se passe souvent sur votre terre. Oui, mon petit papa, je ne parle pas seulement de la chasteté physique mais de la chasteté morale.

L'homme ne sait plus contempler les merveilles de la création dans toute la pureté de leur perfection, mais il sait la salir et lui manquer de respect.

C'est le règne de Satan sur certaines âmes par la pollution morale, la soif de satisfaction charnelle et variée, ce qui immanquablement amène à la drogue, à la dépression et au suicide.

(20.02.98)

Au ciel, nous sommes toujours disponibles et si heureux d'avoir des contacts privilégiés! Tout à l'heure aux informations télévisées, Medjugorje vous a été rappelé; il y a exactement deux ans, vous étiez à ce pèlerinage qui a complètement transformé votre raison de vivre. Actuellement, vous jetez un autre regard sur l'au-delà. Avant, vous le considériez comparable à un brouillard que vous ne pensiez même pas à percer, vous partiez du principe que personne n'était revenu pour vous parler du ciel.

L'au-delà, c'est la dimension éternelle de votre futur. Vous vous trouvez liés au temps de la terre, tandis qu'au ciel nous sommes hors du temps.

Le ciel est fait de tant de variétés. Les inégalités de la terre fondées sur l'injustice des hommes n'existent plus dans l'au-delà. Les seules différences se situent dans les personnalités de chacun et à ce niveau chaque âme est comblée à la perfection. (25.06.98)

Nous vivons dans une totale harmonie, c'est Dieu que nous sentons si présent à chaque instant de notre existence où l'amour de nos frères nous comble de joie. Tout cela est si merveilleux et tellement incompréhensible pour vous. Nous ne parlons et agissons que par amour. Nous comprenons si bien la force de l'amour, la puissance de la prière et toute la grandeur de notre Créateur. (06.10.98)

Vivre au ciel, c'est bien autre chose, vivre dans cette éternité, c'est inexprimable: tout est si bon, tout est si beau, c'est un bonheur et une joie intenses. Vous ne pouvez comprendre. Par contre ce qui nous attriste, c'est de vous voir sur cette terre aller à contre-courant de la route qui mène vers le Royaume du ciel. (24.02.98)

Vous progresserez vers la sainteté en vous oubliant pour laisser agir toutes les qualités et les talents que Dieu vous a donnés ou plutôt confiés, pour s'exprimer à travers vous pour sa plus grande gloire et pour le plus grand bien des hommes, afin qu'ils pensent à toutes les âmes des membres de leurs familles qui les ont quittés et qui se trouvent en transit au purgatoire. (11.04.98)

Espérer le ciel

Je vais répondre à la question que vous posez tous: Où peut bien se trouver l'au-delà? Imaginez que vous devez expliquer à un paralytique, sourd et aveugle, comment est fait votre monde. Il ne peut se déplacer, il ne voit pas et il est sourd. Vous vous trouvez exactement dans les mêmes conditions pour comprendre l'au-delà. (16.05.97)

Hier, j'ai eu la si grande joie de parler de faits divers avec cette petite maman chérie, si curieuse et si attachante, il faut bien qu'elle comprenne que dans la vraie vie c'est tout simplement si fantastique, qu'il n'existe aucun mot sur votre terre pour exprimer notre bonheur. (03.07.98)

La quête spirituelle, c'est une longue marche vers la réalité et cette réalité, c'est l'au-delà que je cherche à vous faire comprendre par des clichés. L'au-delà, c'est le secret de Dieu, c'est tellement merveilleux (et je me répète) qu'aucun mot ne peut le décrire. De même votre imagination ne saurait le concevoir. (27.06.98)

Le dessein de Notre Seigneur, ou plutôt Son plan, peut vous paraître incompréhensible dans Ses voies, dans Sa manière d'agir. Oui, tu as l'impression diffuse d'être entraîné dans un torrent, sans pouvoir t'accrocher aux branches qui le bordent

Fais confiance et tu auras cette grâce de te trouver en présence de toute la Cour céleste, au milieu d'un lac d'un bleu profond aux eaux très calmes, enivré de parfums célestes. Ainsi une joie incommensurable débordera de ton âme, le tout éclairé par la lumière de Dieu.

Papa, relis et médite le *psaume 22* (23 dans la Bible) et tu comprendras mieux que Dieu t'accompagnera et ne te laissera manquer de rien.

Le Seigneur est mon berger,
je ne manque de rien.
Sur des prés d'herbe fraîche,
il me fait reposer.

Il me mène vers les eaux tranquilles
et me fait revivre;
il me conduit par le juste chemin
pour l'honneur de son nom.

Si je traverse les ravins de la mort
je ne crains aucun mal:
ton bâton me guide et me rassure.

Tu prépares la table pour moi
devant mes ennemis;
tu répands le parfum sur ma tête,
ma coupe est débordante.

Grâce et bonheur m'accompagnent
tous les jours de la vie;
j'habiterai la maison du Seigneur
pour la durée de mes jours.

Surtout ne vous concentrez pas sur ce qui est négatif, car vous savez bien que vous n'êtes pas dans la vraie vie et qu'en cette période troublée vous avez pris le chemin de la purification.

Il faut avoir un regard de confiance et d'espérance pour que s'ouvre une possibilité inespérée de croissance spirituelle, c'est-à-dire de mieux comprendre l'Ecriture sainte.

Vous tous, c'est l'Esprit Saint qui vous guide, aussi vous n'avez pas à raisonner, mais à vous laisser aller et suivre cette route qui demande une bonne volonté et une intention droite, être un serviteur, c'est ainsi qu'est la voie royale de l'Amour. Tous ensemble, avec X et sa famille, vous avez à méditer ce message du Royaume de Dieu, dont je ne suis qu'un tout petit messager plein d'amour. (24.07.98)

Plus l'humanité avance dans le temps, plus les hommes s'adaptent à leur monde, à la durée, aux lois, aux limites qu'ils ont maîtrisées en les acceptant. Je parle en particulier des pays industrialisés. Vous êtes bien installés dans ce monde, aussi votre esprit est rebelle pour imaginer une vie en dehors de votre terre. Beaucoup d'hommes vivent ainsi.

Les hommes ne comprennent pas que l'espace et le temps sont les lois qu'ils doivent maîtriser pour mieux affronter le voyage prodigieux de l'au-delà.

Cet au-delà doit vous remplir d'espérance et de joie, mais il n'est accessible qu'à travers la mort. Il comporte un aspect purificateur qu'est surtout le purgatoire.

Le bonheur du ciel est bien à la portée de tous, à condition d'en reconnaître le Créateur. Penser quotidiennement à l'au-delà est le meilleur remède contre toutes les maladies de l'âme, de l'esprit et du cœur.

Nous sommes dans un si grand bonheur au ciel, la joie de tous est celle de chacun, cette joie n'est ni séparée, ni séparable de celle des autres, en un mot, c'est la Béatitude.

Soyez bien conscients que dans l'au-delà, l'espace et le temps n'existent pas, ce n'est pas un lieu mais un état. Au ciel, c'est l'éternité, nous sommes disponibles à tout moment, par contre c'est vous qui êtes limités. (05.06.98)

Votre existence sur terre avec son univers, vous permet de vivre dans les trois dimensions de l'espace et de celle du temps: vous sortirez de ces quatre éléments par la mort pour trouver la vraie vie, l'éternité, où les esprits vivent auprès de Dieu dans un bonheur parfait, après un plus ou moins long séjour au purgatoire.

Votre rôle ne consiste-t-il pas à raccourcir le séjour de ces derniers en priant et en incitant les hommes à penser à leurs défunts? (12.06.98)

Sur terre, les hommes sont entre eux des ennemis: chacun cherche à dominer l'autre. Pourtant chaque personne est à l'image de Dieu et chacun tend vers son modèle.

Par contre au ciel, l'image trouve toute sa raison d'être, car le modèle est bien présent; la joie de chacun devient inséparable de la joie de tous, le bonheur est si grand que chaque rencontre devient une si bonne surprise. Chez l'autre c'est la découverte du côté aimable, le moins bon ayant disparu et c'est un amour et une amitié renouvelés. (03.06.98)

L'invisible est partout: à tous les instants celui qui croit en Dieu, en Jésus, en Marie, aux anges et à toutes les âmes qui sont dans la vraie vie, ressent profondément leur présence.

En ce qui vous concerne, ce contact intime avec l'au-delà est bien réel, d'ailleurs à ce même instant sur ce cahier tu ne fais que retransmettre nos pensées et c'est tout l'amour du ciel que tu ressens. Pour toi, c'est inexplicable, et pourtant tu es si sûr de la présence du Ciel, il en est de même pour ma petite reine de la terre, qui sans effort perçoit des parfums célestes. (24.08.98)

Vous êtes des grabataires, sourds, aveugles, et paralytiques; aussi toutes vos souffrances, vos incertitudes, acceptez-les avec joie et avec reconnaissance, car votre soif de voir Dieu sera amplement satisfaite.

Non, nous ne sommes pas des robots, chacun conserve sa propre personnalité avec la différence que tous les défauts de caractère sont complètement effacés. Petit papa, je t'explique ou plutôt je te donne une image de la vie au ciel pour que vous soyez intimement convaincus que la vie sur terre est insignifiante en comparaison de ce qui vous attend au ciel. (22.03.98)

La vraie vie au ciel

Nous, du ciel, nous sommes toujours là pour vous aider, vous diriger et surtout vous aimer. Plus vous progresserez dans la spiritualité et plus facilement vous franchirez les obstacles que les mauvais esprits placent sur votre route.

Chacun crée son propre environnement, c'est une loi naturelle sur terre comme au ciel. Certains ne croient en rien, donc ne croient qu'au néant, les hommes sont ainsi.

Dans votre monde, souvent les images du mal dominent dans les consciences. Ces mauvaises pensées n'ont en réalité qu'une vie éphémère que les hommes ont le pouvoir d'anéantir à la seule condition de penser à Dieu.

Au ciel nous sommes dans la vraie vie, c'est la réalisation des désirs les plus fous d'amour, de tendresse, de beauté et de bien d'autres sentiments que vous n'avez pu connaître sur terre.

Pour le comprendre, il faut y être, aucun mot ne peut expliquer cela.

Sachez que sur terre tous les êtres poursuivent un chemin de purification et, suivant leur comportement, ils le continueront dans l'au-delà. Cela concerne tous les hommes de n'importe quelle religion qu'ils soient. Ce n'est pas une loi rigoureuse contre les hommes, mais c'est une nécessité pour qu'ils se présentent propres devant leur Créateur. (07.06.98)

Pour franchir la porte si étroite du ciel, les hommes ont trop de bagages, ces bagages sont orgueil, matérialisme et bien d'autres travers. La communication avec Dieu doit s'établir dans l'humilité et dans l'acceptation de la souffrance, c'est alors que la prière prend une importance capitale. Cette prière doit être une supplication et c'est alors que l'homme sera comblé.

Dieu supplie de demander, c'est dans la prière qu'on lui fait la charité, car la chose, la seule que vous pouvez lui donner, c'est votre besoin, votre supplication et en particulier votre indigence.

Oui, vous devez prier sans cesse, plus vous prierez avec le cœur, moins vous vous lasserez, il faut toujours persévérer. Vous serez inexcusables en prétextant le manque de temps, la fatigue, la maladie et en particulier la difficulté de prier. Il est nécessaire que les hommes fassent des efforts et la prière les sortira de leur pétrin.

Autour de vous, beaucoup de personnes, tant hommes que femmes, sont concernées par cet enseignement. En priant, ils se débarrasseront de toute leur crasse. (09.06.99)

Il faut que vous soyez conscients que votre temps n'est pas le mien. Le ciel, vous ne saurez jamais le situer dans votre univers sensible, nos lois ne sont pas vos lois, vous ne pouvez l'imaginer malgré toutes les représentations que vous en faites, même les plus beaux tableaux sont si loin du compte. La réalité est dans l'au-delà, ce sont des vérités que vous ne pouvez comprendre, le réel ne se finit pas avec ce que vous êtes capables d'en percevoir et d'en supporter. De même au ciel nous retrouvons tous ceux que nous avons connus et que nous aimons, nous avons une action à votre égard, un travail (ce mot n'existe pas au ciel) à effectuer pour tout le bien des hommes. Oui, c'est en étudiant, en approfondissant, en méditant la sainte Bible que vous comprendrez mieux que le ciel est tout autre chose, qu'il est tellement plus réel.

Vous devez bien dire aux personnes croyantes que vous rencontrez qu'elles se trouvent engagées dans la grande aventure du ciel où des millions d'êtres humains les ont précédées. Il faut qu'elles soient intimement persuadées que l'au-delà est tellement réel. (09.03.99)

Dans la Jérusalem céleste, Dieu nous attend

Vous ne pouvez imaginer la sublime beauté de la Jérusalem céleste, ce Royaume de Dieu. La présence de Notre Seigneur est comparable à une douce chaleur qui réchauffe et nous caresse affectueusement de tout son amour. Nous en ressentons une paix si profonde, doublée d'une impression de totale sécurité. La lumière du Très-Haut nous donne un bonheur et une joie indescriptibles.

Plus nous approchons du ciel, plus nous sommes accompagnés par une assemblée angélique tellement joyeuse et spirituelle. C'est un ensemble de robes blanches aux teintes pastel, rose, bleu; nous y retrouvons également toutes les couleurs possibles.

Jésus est tellement présent au milieu de nous tous, grand, majestueux, si beau, rayonnant de lumière et d'amour.

A Son contact notre âme est transportée pour se confondre avec Son cœur rempli d'une inépuisable tendresse éternelle. Même l'imagination la plus débordante ne pourrait concevoir la vision de Notre Seigneur du ciel.

Notre Maman du ciel, la très miséricordieuse Vierge Marie, si belle, si radieuse, et d'une si grande pureté est accompagnée de toute la Cour céleste.

Avec tous les anges et les saints nous nous prosternons devant Jésus et sa Très Sainte Maman que nous chérissons et dont l'amour est notre nourriture du ciel. C'est indescriptible.

Au ciel, au milieu de paysages somptueux, de fleurs multicolores et de parfums extraordinaires, nous ne marchons pas mais nous glissons et volons, de même nous ne mangeons ni ne buvons, c'est uniquement l'amour de Notre Seigneur qui nous alimente d'une manière permanente.

Nous ne prions plus comme vous sur terre, car nous sommes nous-mêmes action de grâce et louange à Dieu, c'est bien difficile à te faire admettre tout cela.

Vos âmes, nous les connaissons si bien, nous ne vous jugeons pas, mais nous vous aimons. La méchanceté n'existe plus ici, elle reste sur terre ou bien elle accompagne en enfer ceux qui ont refusé Dieu.

Sur terre, les pécheurs sont tellement nombreux. Aussi il nous est si réconfortant de vous voir prier afin que nous présentions à Dieu vos requêtes pour toutes les âmes qui souffrent et attendent en purgatoire.

Nous vivons éternellement hors du temps et notre objectif est de vous aider spirituellement pour vous conduire à Dieu. Nous avons une compréhension et un amour que rien ne trouble. Nous connaissons le passé, le présent et quelques détails sur l'avenir.

Nous avons ce privilège de comprendre cette grande histoire qui fait partie du plan de Dieu notre Créateur. Dans votre mission, continuez à vous perfectionner en restant fidèles au Seigneur.

C'est tout ce que je peux dire du ciel, c'est de cette manière que vivent ceux qui sont au paradis, comme vos parents et amis! (20.05.98)

Dans la Jérusalem céleste, votre papa, votre maman, vos parents et amis vivent hors du temps dans une joie et une béatitude intenses. Ces qualificatifs sont si loin de la réalité, vos cinq sens n'y suffisent pas.

Au ciel, nous sommes bien plus nombreux que vous, nous ne percevons pas de la même manière toute la foule des élus.

Partez du principe que le ciel est un état et non un lieu, tout cela est bien difficile à vous faire comprendre. (20.10.98)

Dieu n'en peut plus d'attendre les invités. Hélas! la salle de réception ne se remplit plus, pourtant elle est immense et sans limites; Jésus dans son ardent amour va descendre parmi vous dans toute sa gloire. Il a pris le chemin de l'amour pour aller à votre rencontre et il va parfaire ce qu'il a commencé il y a deux mille ans.

Le palais du Roi dans la Jérusalem céleste n'est pas une forteresse que les hommes ne pourront pas atteindre, mais sachez que cette habitation se trouve au milieu de vous et la salle du festin est grande ouverte. Oui, bientôt ce sera l'heure de Dieu et de l'Eglise du ciel et tant pis pour ceux qui ont opté pour le démon. (10.02.99)

Au ciel nous sommes chargés d'aider tous ceux qui cheminent sur terre, de leur indiquer la bonne route, à la seule condition qu'ils veuillent bien écouter. Quand il vient au monde, le bébé pleure; de même les hommes généralement ont peur de la mort, ils sont comme des bébés dans le ventre de leur maman, aussi doivent-ils se préparer à entrer dans l'éternité.

Cette nouvelle naissance demande une préparation par une voie de sainteté, représentée par une vie d'adoration quotidienne.

Ce sera une vie simple et humble, sans aucune espèce de fuite, ce sera la spiritualité du pain quotidien, tout simplement le chemin de l'amour. (20.10.98)

Espérance et présent perpétuel

L'au-delà, c'est la dimension essentielle de votre vie. L'espérance chrétienne est le plus splendide cadeau que vous pouvez faire à votre prochain. Tous les propos religieux que vous pouvez tenir n'ont aucun sens s'ils n'ont pas l'au-delà comme ultime explication. N'est-ce pas le but de ce livre: œuvrer pour la communion des saints, avec toutes les messes, chapelets et prières pour les âmes du purgatoire.

L'espérance, c'est accepter l'ensemble de sa vie présente, trouver de la joie dans la souffrance seulement en méditant la Passion du Christ, c'est l'espérance qui offre un avenir dans les promesses de Dieu. Tout cela, dorénavant vous le comprendrez mieux.

Du ciel, du haut de notre éternité, nous suivons votre temps. Notre horloge s'est arrêtée au présent perpétuel, mais elle marque aussi vos heures; vous ne pouvez comprendre.

L'Incarnation du Christ a eu lieu en un temps bien déterminé, de même que Sa mort et Sa Résurrection et pourtant cette réalité dans le temps sort du temps avant et après.

Posez-vous seulement la question suivante: pourquoi, que ce soit à Medjugorje, à Garabandal ou ailleurs, la Sainte Vierge Marie apparaît-elle avec son fils Jésus dans les bras? Tout cela, méditez-le fortement. (20.03.99)

Aller au paradis

Considérez que vous vous trouvez sur une île (votre terre) et que vous prenez un bateau pour aller sur le continent (l'au-delà).

Pour y arriver vous allez subir des journées de mer calme et également des tempêtes et vous risquerez fort de passer par-dessus bord pour être récupérés par des requins (le diable).

Sur ce bateau vous devez aider le capitaine (le Saint-Père) à maintenir le cap.

Aller au paradis est votre seul but, votre unique but; c'est avec votre cœur et votre âme que vous devez vous diriger dans cette direction. Papa, vous n'êtes pas faits pour être continuellement passagers du bateau.

Dans l'au-delà il existe plusieurs ports, le port de l'enfer pour ceux qui ont cherché à faire couler le navire, le port du purgatoire pour ceux qui n'ont rien fait ou plutôt qui l'ont fait dévier de sa route vers l'au-delà, et enfin le port du paradis pour ceux qui par leur action (actes et prières) ont aidé plus ou moins directement le capitaine du navire.

Evidemment, le meilleur port est celui du Royaume de Dieu où Son Fils Jésus a préparé une place pour chaque homme. Beaucoup transiteront par le parvis pour terminer leur nettoyage.

Ceux qui ont débarqué au port du purgatoire prendront chacun leur billet qui les rapprochera plus ou moins du paradis, mais nombreux seront ceux qui seront plus près de l'enfer que du paradis.

Au paradis, les anges attendent avec joie votre arrivée, ils sont accompagnés de tous les saints qui prient et vous inondent d'amour en attendant que vous preniez place dans la lumière de Dieu. (20.03.99)

Chapitre 6

DIEU, L'ESPRIT SAINT, JÉSUS ET MARIE

1 Timothée 4,10-11: Si nous peinons et combattons, c'est que nous avons mis notre espérance dans le Dieu vivant, le Sauveur de tous les hommes, des croyants surtout. Tel doit être l'objet de tes prescriptions et de ton enseignement.

* * *

Dieu, notre Père

Le hasard n'existe pas. Sur terre l'homme n'est pas né des probabilités comme certains prétendument savants cherchent à le démontrer.

C'est Dieu qui vous a créés, c'est Dieu qui a mis en place votre environnement avec l'eau, la terre, l'air, le soleil, les saisons, mais également les végétaux, les animaux pour vous nourrir et vous aider à vivre.

La vie est universelle, il y a dans l'eau et la terre des créatures vivantes en nombre incalculable, avec un microscope si puissant que dans une goutte d'eau tu verrais tout un univers.

Tout ce qui existe sur votre terre est animé, tout naît, vit, vieillit et meurt. (24.08.98)

N'oubliez pas que vous vivez, non dans le temps, mais dans l'éternité, et que votre avenir s'élabore dans l'invisible. Faites entièrement confiance au Très-Haut, restez calmes, soyez pleins de confiance et gardez toute votre paix. (31.08.97)

L'homme doit affermir le lien qui l'unit à Dieu et ce lien, c'est la prière. Prier, et se mettre en sa présence et converser avec lui. Priez pour lui adresser des requêtes, demandez pour tous ceux qui souffrent, si nombreux dans les ténèbres. Pensez aux Chinois, aux Africains, à tous ceux qui sont dans le malheur, priez également pour toutes les âmes qui sont au purgatoire. (20.02.98)

C'est en dialoguant avec notre Père, avec Jésus, Sa Sainte Mère et tous les saints, dans une très forte et intense communion avec l'Eglise du ciel, que vous puiserez force et courage pour remplir votre mission en faveur des âmes du purgatoire.

Une nouvelle ère doit amener les chrétiens à vivre en paix avec eux-mêmes et avec les autres. N'oubliez pas qu'au ciel, rien n'est caché, c'est un monde de lumière.

En cette fin des temps, si proche, le Seigneur tout-puissant vous inondera d'amour en vous envoyant son Esprit Saint qui vous sanctifiera et vous consolera.

Plus que jamais, Jésus est présent pour vous aider dans ce combat contre les tentations et les embûches du démon. (05.08.98)

Vous êtes devenus des gens de prière continuelle et vous savez vivre l'instant présent avec intensité. Vous avez ce contact permanent avec le ciel, en vous laissant conduire par le Créateur. C'est Dieu qui prend soin de la vie des hommes, il faut que vous sachiez le reconnaître: ainsi vous vous trouverez entièrement disponibles pour l'action de Dieu en vous. Il réalise sa volonté d'amour par votre vécu, par toutes vos expériences personnelles.

L'instant présent est le plus important, c'est le seul moment où vous vous unissez à la volonté de Dieu. Cette volonté c'est le bonheur des hommes, c'est leur chemin vers le perfectionnement. (09.07.98)

Dieu a un regard de Personne à personne et un seul regard sur chaque être. Tout se joue dans un contact et une attention réciproques. Vous êtes appelés à une union amoureuse avec Dieu, c'est la sainteté. Sur terre, elle ne peut être parfaite, votre âme coopère aux lumières et aux mouvements de la grâce. Dieu est toujours prêt à se donner mais le problème vient du côté de l'homme. Ce dernier devrait se reconnaître pécheur, en état d'insatisfaction, hors de la voie spirituelle véritable. (13.08.99)

L'Esprit Saint

Vous avez cette si grande richesse de posséder la Bible. Quand tu ouvres ce livre, ne cherche pas ce que pense Dieu, ni des règles de conduite ou des maximes de morale, mais uniquement et surtout cherche à rencontrer le baiser de tendresse de l'Esprit Saint.

Dieu se dévoile dans le Verbe et se donne sans limites dans l'Esprit Saint. Le Verbe dit tout ce qu'est le Père, et l'Esprit Saint, c'est le don du Père au Fils.

De même vous êtes intérieurs à Dieu et, comme Jésus t'y invite, tu peux demeurer en lui. Il faut surtout éloigner tout péché pour être vraiment digne de cette intimité.

Dans le face-à-face avec le Seigneur, ce sera la Béatitude. Pour le moment, ce sont l'espoir, la foi, vos prières, notre correspondance, la Bible, ce cahier, mais c'est également notre mission pour les âmes du purgatoire. A cet effet vous devez inciter les hommes de votre terre à porter leurs prières et leurs pensées pour la progression de ces âmes vers la Lumière. (07.02.98)

Jésus

Durant votre court séjour sur terre, Dieu a voulu être un Dieu caché pour que vous alliez vers Lui en faisant un acte de volonté et de foi.

Il vous a envoyé son Fils Jésus, qui avant d'être jugé et crucifié, vous a enseigné la façon de prier et d'agir.

Il a institué l'Eucharistie, pour que sur cette terre, vous puissiez vivre de Sa vie, de Sa vie éternelle. (06.05.97)

Jésus était pleinement humain, né de la Vierge Marie, il a grandi auprès de Marie et de Joseph. C'est à l'âge de trente ans, sans domicile, ni argent, qu'il a enseigné dans le pays d'Israël. Il a guéri, Il a servi et aidé les autres. Jamais on n'a pu rien lui reprocher; Il a connu les larmes et l'abandon, la faim et la soif.

Il a subi d'atroces souffrances lorsqu'Il a été flagellé et crucifié. Tout cela à cause de nos péchés. Ces péchés qui nous séparent de Dieu.

Jésus est mort sur la Croix, c'est Dieu qui dans son amour a livré son Fils à la mort en lui faisant subir la peine que méritaient nos péchés.

Ensuite, Dieu a rendu la vie à Jésus, ce qui explique Ses nombreuses apparitions après Sa mort. Lisez la Bible, vous comprendrez mieux sa Résurrection. (10.02.98)

Hier matin vous avez assisté à la messe célébrant la Transfiguration du Seigneur. Cette annonce fait de tous les hommes des fils de Dieu afin de partager Son héritage avec Son Fils unique Jésus-Christ. Au ciel, cette fête prend une intensité particulière, c'est un rayonnement merveilleux du Fils de l'Homme.

Sois certain, petit papa chéri, autant pour toi que pour moi, dans ces moments privilégiés, c'est le ravissement, c'est la communion de nos âmes où nous nous trouvons transportés hors de l'espace et hors du temps dans un sentiment mystique si intense. C'est une si grande grâce pour nous deux. (07.08.98)

Jésus, durant sa vie a parlé à son Père par la prière, Il a beaucoup prié. C'est par la prière que vous savourerez la présence de Dieu le Père, de Jésus, de Marie, des anges, des saints et de tous les frères du ciel. (20.08.98)

Message de Pâques à ses parents.

En ce matin de Pâques, plein d'amour et d'allégresse.
Je t'aimerai toujours de mon éternel amour.
Je suis si bien là-haut dans les chants d'allégresse,
tout près de Jésus, vivant de son éternel amour
où des myriades d'anges, chantent l'amour divin.

Je te couronnerai de mes plus belles roses
de nos jardins célestes et nos parfums divins.

Je t'aimerai toujours, ma gentille maman,
tu seras près de moi dans cet amour céleste
où nous serons tous deux dans l'éternité.

Je vous aime tous deux, dans des parfums célestes
où mon éternel amour ne vous quittera plus.

Votre Jean pour l'éternité.
Joyeuses Pâques!
Vos parents du Ciel. (04.04.99)

La Sainte Vierge Marie

Marie, cette jeune fille si pure, si sage, a, sans hésiter, accepté d'être la Maman de Jésus. Pensez à tout son amour de Mère. Durant neuf mois, elle a porté Jésus dans son sein; elle l'a nourri de son lait; comme toute maman, elle l'a couvert de baisers.

Méditez bien d'abord sur ses soucis, les angoisses qu'elle endura, particulièrement au moment de la Passion. (14.04.97)

Dans la vie d'union à Dieu, l'âme est attachée à la personne vivante du Christ, mais également à sa Maman, la Sainte Vierge Marie. Oui, personne ne peut entrer dans l'intimité de Jésus sans passer par Marie. La Sainte Vierge, dans toutes ses apparitions demande toujours la prière du chapelet. Elle demande cette prière pour vous amener à prier Dieu, à entrer dans la contemplation de Sa divinité et de Son humanité réunies.

Le chapelet ne se récite pas comme une leçon mais en méditant, en gardant dans le secret et le silence de son cœur toute la vie du Christ Jésus. Oui, ainsi vous contemplerez la personne vivante du Christ comme la Sainte Vierge l'a contemplée durant sa vie terrestre. Vous prierez avec le regard de Marie, avec son cœur. Oui, par la prière du chapelet, Marie vous amène à Jésus. De cette manière, dans cette prière contemplative, c'est Jésus que vous rencontrez personnellement et c'est une si grande grâce.

Oui, avec ma petite reine de la terre méditez bien ce message, il est tellement important. (07.07.98)

La Sainte Vierge a donné l'exemple aux moments les plus douloureux et les plus horribles de la Passion. Elle est restée debout tout au long du Chemin de Croix et même au pied de la Croix. Elle a assisté à tout cela et de plus, elle a eu la force d'âme et de corps de recevoir son Fils dans ses bras et de porter Son Corps, mort dans de si grandes douleurs. (24.08.98)

Depuis deux siècles, ce ne sont pas les avertissements qui vous manquent. La Sainte Vierge Marie vous a adressé de nombreux messages, à la Salette, à Lourdes, à Fatima, à Medjugorje, en Italie, en Espagne, en Corée. Partout le message est le même, elle demande prières et jeûnes, elle est si triste de constater la négligence des hommes, leur vanité et surtout leur absence de vie spirituelle. (29.06.98)

Les lieux d'apparitions de la Sainte Vierge constituent des havres de paix et de foi, chargés de recueillir toutes les souffrances et les misères de votre pauvre terre. C'est dans ces lieux que notre Maman du ciel distribue des grâces abondantes. Vous en savez bien quelque chose, car la Sainte Vierge à Medjugorje t'a bien mis sur la voie de la sainteté et de la connaissance. (31.07.98)

Ce n'est pas sans raison que la Sainte Vierge Marie apparaît à plusieurs endroits de la planète, c'est bien pour sortir les hommes de leur apathie, de leur résignation.

Elle leur demande de prier, d'ouvrir leur conscience et de se mettre à l'écoute des autres, de percevoir la réalité, de ne plus s'enfermer dans l'égoïsme, mais d'aller vers ceux qui souffrent. Les moyens, ce sont l'Eucharistie, la méditation du chapelet, le Credo, le Notre Père et le Je vous salue, Marie.

C'est en méditant que vous prendrez conscience que c'est à Dieu que vous êtes redevables de votre existence; c'est pourquoi vous devez utiliser toutes vos potentialités pour le bien de tous vos frères et particulièrement pour tous ceux qui se sont égarés, et ils sont si nombreux. (29.07.98)

Demain, c'est la fête de l'Assomption: vous irez donc à la sainte messe. La Sainte Vierge Marie est si peu vénérée par les hommes, c'est bien regrettable.

Ils savent bien, tout au moins les chrétiens, que leur Maman du ciel a été enlevée corps et âme auprès de Dieu. Le Bon Dieu n'a pas permis que Marie, en sa qualité de Mère du Sauveur, souffre physiquement et connaisse les affres du tombeau.

La Sainte Vierge est restée une Mère pure et aimante, discrète et pleine d'attention. Par la volonté divine, elle est devenue pour les hommes un phare, une lumière qui les conduit à Dieu.

C'est pour cette raison qu'elle adresse des messages aux hommes et leur demande de prier, de jeûner, d'assister aux sacrements et de se confesser. Ainsi, elle apparaît dans plusieurs endroits de la terre où elle distribue des grâces dont vous-mêmes avez bénéficié.

Encouragez les personnes que vous rencontrerez à méditer chaque jour au moins un chapelet et à se placer sous la protection de la Très Sainte Vierge Marie.

Votre Maman du ciel vous aime tant, et si vous lui témoignez amour et attachement, elle vous donnera beaucoup de grâces. Il s'agit de les demander, mais auparavant il est essentiel d'avoir la volonté de pardonner, d'être détaché de toute idée négative et de vivre chrétiennement l'instant présent. (14.08.98)

Aujourd'hui, c'est une très grande fête au ciel. Souviens-toi quand je te parlais du Verbe qui s'est fait chair. Cette fête de l'Annonciation où Marie, tout en restant l'Immaculée est devenue Mère de Dieu en engendrant le Verbe. Ainsi, c'est de la race de l'homme que le Christ est né. Aujourd'hui surtout ne manquez pas cette messe et pensez intensément à tout cela en vivant très fortement cette cérémonie qui remémore le Nouveau Testament. Pensez-y en particulier en recevant la sainte communion. (25.03.99)

Il est de la plus grande importance que tous les fidèles de la Très Sainte Vierge Marie, votre Maman du ciel, prennent au sérieux ses recommandations. Fréquentez ces lieux bénis qui sont une ouverture, une route vers le ciel, ces endroits où Marie a mis les pieds et dans votre monde, ils sont tellement nombreux. Quand vous vous trouvez dans ces lieux il vous appartient par une démarche de foi et d'amour de montrer que vous avez confiance en la puissance de sa prière.

A Lourdes, par l'intermédiaire de Bernadette, elle vous demande de venir en foule à la source de Massabielle. Vous y avez rencontré une multitude de personnes souffrant soit dans leur âme, soit dans leur corps, et souvent ces deux souffrances sont cumulées. (05.09.99)

Avancez avec simplicité sur les voies du Seigneur, et ne vous faites pas de souci. Détestez vos défauts, oui, mais tranquillement, sans agitation, ni inquiétude. Il faut user de patience à leur égard et en tirer profit grâce à une sainte humilité.

Faute de patience, vos imperfections, au lieu de disparaître, ne feront que croître. Car il n'y a rien qui renforce tant nos défauts que l'inquiétude et l'obsession de s'en débarrasser.
(Ep 3, 579)

Padre Pio

Je ne meurs pas, j'entre dans la vie.
Oui, il faut semer le bien autour de soi, sans s'inquiéter s'il lève.
A nous le travail, à Jésus le succès.

Sainte Thérèse de Lisieux

Chapitre 7

LES ANGES ET LES SAINTS

*Matthieu 18,10: Gardez-vous de mépriser aucun de ces petits:
car, je vous le dis, leurs anges aux cieux voient constamment la
face de mon Père qui est aux cieux.*

* * *

Les anges

Depuis votre arrivée sur terre, en ce monde vous avez l'assistance et le secours constant de votre ange gardien. C'est un être spirituel qui s'est séparé pour l'éternité des forces du mal et n'est désormais que bonté, bienveillance et vigilance.

C'est lui qui vous aide dans votre progression vers Dieu notre Père, en vous donnant de bonnes inspirations, qui vous écarte des tentations, des situations périlleuses, et vous incite à avoir un bon comportement.

Vous devez davantage penser à lui, lui dire toute votre vénération, votre confiance et votre amour.

N'hésitez pas à lui demander de l'aide; il est si près de vous.

Chacun de vous doit œuvrer à l'édification du Royaume de Dieu, vous êtes responsables pour votre part de cette tâche immense, construire un monde d'amour. (24.03.98)

Pour vous servir et pour vous guider, les anges sont auprès de vous; même si tu admets difficilement leur existence, ils sont très efficaces. Et si tu réfléchis bien, ils t'ont souvent sorti de situations embarrassantes.

Ne sont-ils pas les serviteurs du Père éternel et du Fils dans l'Esprit Saint? D'ailleurs, ils s'affairent auprès des âmes pieuses. Ils portent au ciel vos prières et vos requêtes, de manière d'autant plus efficace que votre action auprès des âmes du purgatoire est salutaire; j'en ai été le premier bénéficiaire. La vie sur votre terre devient de plus en plus étouffante et démoralisante: au lieu d'écouter les promesses des hommes influents, penchez-vous plutôt sur le Vrai, le Beau et le Saint. (02.05.97)

Vous avez tendance, les hommes, à négliger vos anges gardiens, pourtant ce sont eux qui vous protègent des pièges et stratagèmes manigancés par les mauvais esprits. Ces démons utilisent tous les moyens, ils sont partout, ils savent si bien se servir de la presse et de la télévision pour transgresser la loi de Dieu.

Même quand vous êtes victimes d'accidents, de maladies, de violences, ce n'est pas le hasard, ce sont les esprits mauvais qui cherchent à vous atteindre et à vous diminuer, à vous faire douter pour alimenter le feu de l'enfer. (07.08.98)

Priez davantage vos anges, n'oubliez pas que Marie a été saluée par l'ange de l'Annonciation sur l'ordre de Dieu et elle a répondu spontanément au messager du ciel.

Les anges vous environnent; ils sont nombreux. Vous ne pouvez ignorer leurs existences et leurs actions.

Ils sont tellement présents dans la liturgie. Oui, les anges sont les adorateurs de Dieu et d'actifs messagers. Ils ont des tâches permanentes à remplir comme anges gardiens messagers de Dieu.

En un mot un ange est un ami de Dieu et un intermédiaire entre le ciel et les hommes. Vous êtes liés au temps et l'ange, à l'éternité. Le temps c'est la nuit, le jour, les calendriers mais c'est surtout l'insécurité, la peur, l'angoisse et le lendemain qui échappe quand survient le moment du passage de l'autre côté de la rive. En revanche l'ange vit dans l'instant de plénitude. Chaque instant doit vous permettre d'acquérir la certitude de sa présence, si vous créez un profond contact avec lui. (25.03.99)

Ce sont les anges qui vous protégeront contre les événements à venir et en particulier:

– l'archange **saint Michel**, chef des Armées célestes, dont le rôle est de conduire les anges contre Satan et toutes ses forces mauvaises;

– l'archange **saint Raphaël**, médecin du ciel, qui guérit les blessés pour les ramener à la Foi;

– l'archange **saint Gabriel**, le communicateur, qui annonce le retour de Jésus; il est le messager du ciel et vous verrez s'accomplir sa puissance et sa lumière quand Jésus apparaîtra sur les nuées du ciel.

Il est important d'honorer par la prière et la méditation le secours de ces trois archanges. Vous pourriez réciter le chapelet de saint Michel au moins une fois par semaine. (21.05.97)

Avant chaque témoignage, priez saint Michel et vos anges gardiens, car c'est une continuelle bataille qui s'engage entre les esprits bons et les esprits mauvais, mais vous serez toujours vainqueurs. Pensez au ciel et à ses serviteurs qui, dans l'invisible, forment une force prête à intervenir avec efficacité. Vous rencontrerez des personnes faibles chez lesquelles les mauvais esprits se sont infiltrés, mais vous aurez à vos côtés vos anges gardiens qui vous aideront et vous protégeront.

Sur votre terre, nous sommes toujours à vos côtés. En permanence vous êtes accompagnés par votre ange gardien. Il vous guide, c'est lui la voix de votre conscience.

Les hommes devraient commettre moins de fautes, mais pensent-ils à leur ange gardien, le prient-ils? Et pourtant il est bien là pour vous donner la main et vous empêcher de trébucher.

Il est évident qu'au cours des témoignages et en particulier en lisant le livre, de nombreuses personnes se poseront beaucoup de questions sur le sens qu'elles donnent à leur existence, une bonne partie d'entre elles apprécieront, certaines retrouveront le bon chemin, quelques-unes ne supporteront pas de voir mise à nu leur étroitesse d'esprit, mais inconsciemment, elles ne pourront que progresser.

Papa, parfois avec ma petite maman chérie, tout comme la plupart des humains, vous avez tendance à ramener tout à vous-mêmes. Pourquoi vous inquiéter sans cesse de votre apparence, de votre intellect, de ce que les autres pensent de vous? Malgré vos faiblesses portez votre regard vers le Seigneur et non sur vous-mêmes. Vivez avec un esprit d'humilité, de modération et de chasteté, ainsi vous plairez au Bon Dieu.

Vous approchez de la fin des temps, c'est d'ailleurs pour cette raison que du ciel nous orientons votre parcours. Oui, vous avez bien le libre arbitre, mais nous savons aussi que vous agissez par amour, et cet amour ne doit pas être uniquement dirigé vers moi, mais sur Dieu, Marie, les anges, les saints et tous les frères du ciel dont je fais partie. (07.08.98)

Vous avez pris la bonne route, la route du bien et de la victoire, la route où la bête sera vaincue. A votre droite vous avez Jésus-Christ avec Sa sainte Maman, elle-même accompagnée de saint Joseph son très saint époux, des anges, des saints et en tête l'archange saint Michel. Oui, infailliblement vous remporterez la victoire.

Tout cela, mon petit papa, je te l'exprime pour vous faire mieux comprendre que cette action pour les âmes du purgatoire fera rugir la bête, vous la trouverez sur votre route, parfois sous un aspect sympathique. (27.07.98)

Les saints

Les saints sont toujours auprès de vous, pour vous guider, pour vous pousser sur la bonne route, ce sont ceux reconnus par l'Eglise, mais également des inconnus, certains parents et amis que vous avez connus, aimés et qui ont eu une vie exemplaire, parfois avec quelques travers, mais qui dans l'au-delà sont passés par le purgatoire pour entrer au paradis. Ils sont vos intercesseurs qui vous demandent d'acquérir une plus grande perfection en offrant vos peines et vos souffrances à Notre Seigneur. (26.02.98)

Papa, tout comme X, vos capacités naturelles sont des instruments entre les mains de la Providence; oui, certes vous devez être prévoyants, faire un budget, organiser, mais pour vous dépasser vous devez avec confiance vous abandonner à Dieu. Il pourvoira à ce qui est demandé et qui va apparemment bien au-delà des possibilités humaines. (24.07.98)

Vous devez beaucoup prier, demandez l'intercession du **saint curé d'Ars**; surtout, vous ne pouvez douter de l'amour de Notre Seigneur, de Sa si tendre Maman, de sainte Thérèse, des saints du ciel et de tous les anges. (08.09.98)

Le saint curé est un saint exceptionnel, il est plein d'amour; cet amour il l'avait déjà vécu sur terre auprès de ses paroissiens, il le faisait partager dans sa vie de tous les jours. Aimer son prochain, c'est cela la sainteté. Aimer son prochain même le plus détestable. (05.08.99)

Saint François d'Assise était riche, il a choisi d'aider les hommes, les pauvres, les plus malheureux, les plus démunis. Il l'a fait, avec tout son cœur et son amour de Dieu et du prochain. Il a tant souffert de l'ingratitude des autres.

Il a mené dans sa route **sainte Claire**. Elle a aimé François de l'amour le plus pur et le plus complet, c'est pour cette raison que sainte Claire est aussi un exemple à suivre. (24.04.97)

C'est **sainte Thérèse** de l'Enfant-Jésus qui est le plus près de Jésus et de Marie. Elle est sans péché. Depuis sa plus tendre enfance, sa vie a été entièrement consacrée au Seigneur.

Elle a toujours été pour les autres l'exemple de tout l'amour qu'il est possible de vivre et d'exprimer par un être humain. (12.04.97)

Lourdes, c'est le vrai visage de Marie. La Sainte Vierge s'est adressée à **sainte Bernadette** pour faire passer son message; en elle, il y a la simplicité, l'humilité, la pauvreté et la sincérité.

Bernadette a vécu une vie toute simple et s'est offerte à Marie dès qu'elle l'a vue. Elle n'a pas hésité à l'écouter et à lui obéir. Elle n'avait aucune crainte du ridicule, elle était tout entière à Marie. (21.04.97)

Rejetée par sa famille et son entourage, **sainte Germaine** s'est réfugiée dans les bras du Père, de Jésus et de Marie sa mère du ciel. Elle a eu une vie effacée, elle était rejetée par les siens à cause de sa maladie. Elle n'avait personne à qui confier ses peines si ce n'est Dieu. (15.06.97)

Sainte Germaine est ma grande amie du ciel. Comme je l'aimais sur la terre de Pibrac elle me le rend bien. Il faut beaucoup la prier et la faire connaître au pèlerinage.

Tu as eu une très bonne idée d'acheter la nouvelle cassette pour la passer dans le car, elle vous en remercie et vous protégera. (05.08.99)

Cette simplicité, tout cet amour de la création de Dieu, nous les retrouvons dans le cœur de tous les saints. (26.07.97)

Surtout écoutez votre conscience, laissez les gens dire: «Ne faites pas ceci, occupez-vous de cela, ce n'est pas normal.» Il vous appartient de les laisser dire, car souvent ils agissent par hypocrisie. Ce que vous faites les dérange, ils voudraient que vous vous adonniez tout comme eux aux jouissances terrestres, jouissances qui bien souvent sont à l'origine de déséquilibres, de problèmes de santé et de relations avec les autres. (12.08.98)

Vous avez, vous de la terre, beaucoup de questions à vous poser, vous avez à lutter contre les tentations, des doutes parfois, mais également contre vos défaillances et vos échecs.

C'est la paix de Dieu que vous devez transmettre, cette paix que vous garderez précieusement, car votre mission est de rayonner de la connaissance de Dieu, de L'aimer pour que votre foi devienne un modèle pour les autres. Ainsi vous persuaderez vos proches de prier pour les âmes du purgatoire, et en particulier pour celles de leurs familles qui sont dans l'au-delà.

Dans tous les cœurs vous devez semer des graines de perfection en faisant connaître l'Evangile, donc la Parole de Dieu. (08.09.98)

Chapitre 8

LA COMMUNION DES SAINTS

Matthieu 7,13-14: Entrez par la porte étroite. Large, en effet et spacieux est le chemin qui mène à la perdition, et il en est beaucoup qui s'y engagent, mais étroite est la porte, resserré le chemin qui mène à la Vie, et il en est si peu qui le trouvent.

Catéchisme de l'Eglise catholique, 962: Nous croyons à la communion de tous les fidèles du Christ, de ceux qui sont pèlerins sur la terre, des défunts qui achèvent leur purification, des bienheureux du ciel, tous ensemble formant une seule Eglise, et nous croyons que dans cette communion l'amour miséricordieux de Dieu et de ses saints est toujours à l'écoute de nos prières.

* * *

Ce contact matinal est une si grande grâce, vous êtes tous les deux des élèves appliqués, ce qui permet aux frères du ciel, par mon intermédiaire, de persuader les hommes de votre terre de prier pour les âmes du purgatoire. (25.09.98)

Les âmes du purgatoire sont dans les oubliettes, vous avez la charge de les en sortir. Agissez, agissez, un bienfait n'est jamais perdu. (14.10.98)

C'est votre seule et unique mission; d'aucune manière vous n'avez à vous ériger en conseiller et en guide pour des questions que de nombreuses personnes vous posent pour elles-mêmes, pour des membres de leur famille ou amis qui les ont quittées.

Elles ont bien leur ange gardien, leurs saints préférés, la Très Sainte Vierge Marie et le Bon Dieu pour satisfaire leur requête, il leur suffit de demander et de prier avec le cœur.

Restez uniquement dans le cadre de la communion des saints; là le travail ne vous manque pas.

Des chrétiens sont dérangés par ces messages du ciel, ils ne peuvent supporter de voir mise à nu leur étroitesse d'esprit, qui les empêche de donner le meilleur d'eux-mêmes. La lumière de Dieu est parfois dure à supporter de la part des hommes, car elle pénètre si profondément en eux, qu'ils ressentent la brûlure de tout ce qui est mauvais.

Dieu vous donne des talents, tous les hommes possèdent des talents, mais auparavant il leur appartient, par leur propre et seule volonté, de se dépouiller des défauts qui les étouffent, c'est-à-dire l'intellect, l'impatience, l'égoïsme, la mauvaise foi mais aussi la malhonnêteté et en particulier la tiédeur.

C'est d'une manière permanente qu'ils doivent corriger leurs défauts, se fortifier, avoir un regard d'amour pour l'autre; ainsi, ils prendront le chemin de la sainteté.

Pense à la parabole des talents; il ne s'agit pas de garder au fond de soi-même ses qualités, mais de les développer pour donner le meilleur possible aux autres.

Hélas! la plupart des hommes dilapident toutes les qualités dont ils ont été pourvus, et où se retrouveront-ils quand ils franchiront l'autre rive? Au purgatoire ils risquent certes de se trouver bien éloignés de la porte du ciel.

Demandez à ceux que vous rencontrez de mieux réfléchir sur les talents que Dieu leur a confiés. Il leur appartient de les faire fructifier; aussi doivent-ils diffuser la bonne parole et transmettre cet enseignement au bénéfice des âmes du purgatoire.

Dans la vie, il ne s'agit pas de rechercher la facilité mais la perfection en tout, dans la famille, dans vos actes, en agissant sous l'action de l'Esprit Saint.

A cet effet, il suffit de vous laisser guider, de vous abandonner à Ses sages conseils, à Ses saintes inspirations pour encore mieux œuvrer pour la communion des saints. (25.09.98)

En votre qualité de chrétien, vous vivez votre foi et ainsi vous la nourrissez en recevant avec dévotion le Corps du Christ, ce qui fait naître en vous une source insondable de bonheur, de plus en plus abondante. Pour chacun de vous, la mission pour les âmes du purgatoire est de faire bénéficier autrui de votre foi heureuse, qui transformera leur vie et les baignera dans la louange et l'amour.

Votre comportement, votre manière d'être témoigneront de votre attachement au Christ Jésus, et aussi votre attitude pleine d'amour envers tous, même pour ceux que vous aimez le moins; c'est surtout vers ces derniers que vous devez vous diriger en devenant leurs serviteurs, et alors vous plairez à Dieu.

Pour chacun des hommes de votre terre, il y a des voies, des missions différentes. Vous avez cette grâce d'avoir su écouter, vivre votre souffrance sans trop vous rebeller, et ainsi, vous avez suivi les inspirations du Très-Haut. Vous avez su accepter les événements que la vie vous a imposés et vous abandonner à la volonté de Dieu. (20.02.98)

Chacun et chacune d'entre vous doit œuvrer à l'édification du Royaume, oui chacun et chacune d'entre vous est responsable de cette tâche immense qu'est la construction d'un monde d'amour, particulièrement en cette fin des temps qui est tellement proche.

A cet effet, le ciel vous demande de réagir pour les âmes du purgatoire mais aussi pour ceux de votre terre qui ont perdu leurs repères. Ma petite maman chérie a si bien remis sur la bonne voie ces deux sœurs qui, par naïveté, pratiquaient le spiritisme.

C'est en permanence qu'un bon chrétien doit se tourner vers les autres pour les comprendre, les aider et les ramener à Dieu.

Que les gens sachent qu'il n'est jamais trop tard pour bien faire, même pour ceux qui se sont trompés de route; hélas, ils sont si nombreux!

Vous devez surtout vous détacher des futilités qui vous entravent, car tout ce qui vous semble en ce moment utile passera, et il n'y a que le bien et l'amour qui resteront.

Vous deux et nous du ciel, nous partageons une tâche dont vous ne pouvez totalement mesurer toute l'importance. A cet effet, il vous suffit d'accorder votre bonté à celle des frères du ciel à tout instant de votre vie, même si cela vous est pénible et si vous vous sentez humiliés.

Tous, nous sommes des serviteurs, tout comme l'a été Notre Seigneur Jésus-Christ; vous n'avez surtout pas à vous préoccuper du jugement des autres, il vous suffit de savoir que vous agissez pour le ciel, donc également pour les hommes de votre terre. Ainsi, les âmes qui sont en purgatoire procèdent à leur toilette et vous leur apportez de quoi se décrasser et cette lessive, ce sont vos prières, chapelets et Eucharisties.

La moisson est en train de mûrir, pour cela elle se laisse exposer aux rayons de vos prières et plus ces rayons seront nombreux et puissants et plus le grain pourra être engrangé au paradis. C'est le but de votre action actuelle, soyez-en bien conscients. (03.10.98)

Notre Seigneur dote les hommes de votre terre d'abondants charismes, mais bien souvent ils n'ont pas la sagesse de chercher à les comprendre et à en faire bon usage, c'est tellement regrettable.

Le lien qui nous rassemble, c'est la communion des saints. Vos frères du ciel vous assistent dans leurs prières et vous aident.

Vous aurez toujours à rendre le bien pour le mal. D'aucune manière vous ne devez en vouloir à celui qui vous fait souffrir. Lui-même est-il vraiment bien dans sa peau?

Le Seigneur Jésus-Christ ne demande qu'une chose: aimer son prochain, n'avoir aucun sentiment de rancune ou de vengeance, aller de l'avant sans regarder en arrière.

Vous nous êtes si précieux et tous les frères du ciel sont avec moi pour vous exprimer tout notre amour. (19.09.98)

Vous devez vous abandonner à la volonté du ciel en disant: «Qu'il en soit, non pas comme je le veux, mais selon votre volonté, ô mon Dieu.»

C'est du fond de votre cœur que vous prononcerez ces paroles et ainsi votre âme recevra le parfum du ciel, car vous rendrez gloire au Seigneur.

Tous vos efforts sont agréables au ciel; surtout ne comptez jamais trop sur les autres, même pas sur vous-mêmes, mis à part vos actes de bonne volonté.

Vos plus grands obstacles sont bien généralement l'inquiétude et un certain découragement qui parfois est le fruit de votre amour-propre.

C'est l'amour de Dieu qui doit effacer votre ego. C'est par votre comportement, par vos prières, par vos chapelets et en participant aux Eucharisties, que vous rendrez grâce à Dieu par la pureté de vos intentions!

Ne vivez pas pour vous-mêmes mais pour un grand nombre d'âmes. Toutes les grâces qui vous seront accordées sont pour les autres. Surtout vous devez bien comprendre que Dieu vous aime tant, aussi vous est-il si facile de communiquer en totale liberté avec Lui: demandez et vous recevrez.

Vous n'êtes jamais seuls, sachez que votre papa, votre maman, vos enfants, frères et sœurs sont toujours avec vous. Ils ont tant besoin de vos prières pour aider leurs proches qui sont encore au purgatoire et parfois si bas.

Autant pour toi que pour moi, dans ces moments privilégiés, c'est le ravissement, c'est la communion de nos âmes où nous nous trouvons transportés hors de l'espace et hors du temps dans un sentiment mystique si intense, c'est une si grande grâce pour nous deux. Auprès de Dieu le temps ne compte plus, nous vous attendons pour participer ensemble à des retrouvailles fabuleuses quand votre heure, l'heure de tous ceux que nous aimons, sera venue.

En attendant, au ciel nous sommes là pour vous guider, parfois vous influencer, dans le cadre de la communion des saints; ainsi en est-il de ces rencontres où des personnes qui ont un rôle à jouer peuvent pousser les hommes à prier pour leurs défunts et ainsi participer à leur purification.

Oui, le livre doit être diffusé le plus largement possible de manière à sensibiliser les gens de votre terre pour qu'ils puissent davantage agir et prier.

Vous êtes devenus la branche de salut des âmes qui souffrent dans votre monde de désolation spirituelle; il vous appartient d'agir en véritables enfants de Dieu en montrant votre amour pour autrui.

Forts de votre expérience, de tous les événements qui se sont déroulés ces dernières années, par votre foi, vous êtes plus que jamais appelés à faire passer votre témoignage sur la vie éternelle. (25.05.98)

En attendant ce bonheur qui apaisera vos besoins d'absolu, par le retour du Christ Jésus dans Sa gloire, réfugiez-vous en Lui et ainsi vous trouverez une si grande source de réconfort. Surtout méditez, faites le calme, le vide en votre esprit, que votre prière devienne pure et vous ressentirez très clairement vos manques et vos faiblesses.

Plus votre demande sera un cri d'amour, plus la réponse sera proportionnelle à son intensité et vous ressentirez si fort tout l'amour divin qui descendra en vous.

Oui, vous avez parlé de la communion et de la consécration des hosties: les autres religions cherchent à désacraliser cette rencontre personnelle qui est la fusion de l'homme avec Dieu.

C'est un si grand danger pour tous, ce n'est plus de l'amour de Dieu qu'il sera question mais de l'amour de l'homme pour lui-même: oui, la bête est très forte. (05.07.98)

Faites dire des messes à l'intention de toutes les âmes délaissées pour lesquelles plus personne ne prie. Ces messes les touchent comme un baume bienfaisant qui les rapproche davantage de la Lumière Divine. Elles vous entourent de leurs protections et vous évitent de nombreuses erreurs. Leurs influences subtiles ne s'opposeront pas au Plan du libre arbitre que le Seigneur a laissé aux hommes dans son infinie bonté. (22.10.99)

La sagesse rayonne dans tout l'univers, admirez toute la création de Dieu, de la plus petite fourmi au soleil qui vous éclaire, vous réchauffe et apporte la vie. Mon petit papa, quand tu es fatigué, fais simplement le tour de la maison, et observe une à une toutes ces fleurs, arrête ton regard sur les oiseaux, sur le vol des papillons; remercie Dieu et tu retrouveras ton dynamisme. (01.08.97)

De plus en plus les hommes devraient se pencher sur les saintes Ecritures, hélas, beaucoup de personnes continuent de se fourvoyer en pensant qu'elles se réincarneront ou bien que la miséricorde de Dieu les absoudra.

A nous qui sommes du ciel, il appartient de vous aimer, donc de vous guider, de vous aider et surtout de vous protéger. Nous y mettons toute notre âme, aussi vous devez agir au mieux pour les âmes du purgatoire. (31.07.98)

L'au-delà n'est pas réservé uniquement à ceux qui ont eu la grâce de reconnaître sur leur route le Fils de Dieu. Le Royaume des cieux accueille tous les hommes, sans distinction de religions et de cultures, qui croient que chaque être humain porte en lui la trace de Dieu et ne désespèrent d'aucune manière. (21.10.99)

Plus vous avancez dans le temps, plus vous êtes unis au ciel avec des liens renforcés. Maintenant vous devenez bien plus conscients des grâces particulières dont vous bénéficiez.

Cette vie vous apporte un lot de joies et de doutes, de succès et de déboires, de tranquillité et d'agitations, de sécurité et de dangers, tout cela pour accomplir votre mission de venir en aide aux âmes qui attendent dans le purgatoire le jour où elles seront face à face avec Dieu. (16.02.98)

C'est par des locutions intérieures que vous partagez mon intimité et c'est la Sainte Vierge, ma Maman du ciel, sainte Thérèse, sainte Germaine, saint François et Notre Seigneur qui inspirent ces pages pour œuvrer en faveur des âmes du purgatoire.

Contrairement à ce que pensent certaines personnes, vous n'utilisez pas de procédés condamnés par la sainte Bible, c'est-à-dire le spiritisme, mais cette disponibilité particulière qui m'a été donnée du ciel pour transmettre les messages de l'au-delà, et ainsi œuvrer pour la communion des saints. (26.02.98)

Tous, vous vivez jour après jour votre régénération intérieure en vue d'accéder à la vie du ciel. Et vous tous, vos amis, vos compagnons de route, vous œuvrez dans ce sens en suivant votre route si difficile mais si pleine d'enthousiasme. Votre action pour la communion des saints est votre seule raison de vivre. Tous les frères du ciel comptent sur vous. (09.11.98)

D'une manière différente selon les personnes que vous rencontrez sur votre route — cela n'est pas le fruit du hasard —, vous avez à agir dans le cadre de la communion des saints. D'abord vous avez intensifié vos prières par le rosaire journalier qui apporte tant, non seulement à vos familles, à vos amis du ciel mais aussi aux personnes qui lisent ce livre. Les âmes qui sont au purgatoire en profitent pleinement.

Oui, tous ceux qui sont passés de l'autre côté de la rive vous rendent tout le bien que vous leur donnez. Le domaine spirituel entoure et domine la matière. Les leçons que vous recevez du ciel aboutissent à la lumière de Dieu.

Votre mission est de rappeler aux hommes que la vie ne se limite pas à la terre, qu'ils doivent se préparer au passage afin de retrouver toute leur famille et leurs amis qui les ont quittés pour l'éternité qui les attendent à la table du Seigneur.

Réfugiez-vous toujours dans le Cœur de Jésus et dans celui de la Très Sainte Vierge Marie; surtout mettez votre amour-propre à la dernière place pour qu'il ne contrarie pas votre mission. Si quelqu'un vous fait de la peine, rendez-le-lui en amour.

Ne tenez pas compte de l'ingratitude des autres, partez du principe que vous êtes des serviteurs et restez convaincus de votre sainte mission pour les âmes du purgatoire. C'est en tendant à la perfection que vous agirez pour la sanctification des âmes. (02.02.99)

Ce charisme ne vous a pas été donné pour vous-mêmes mais pour une action collective, ce qui explique la réalisation commune du livre, les témoignages, les groupes de prière et l'organisation de pèlerinages.

La vie spirituelle est une plongée dans l'invisible, l'âme de l'homme est ce qu'il y a en lui de plus immense, vous devez en être conscients. Hélas, la plupart du temps il va chercher à l'extérieur tout ce qui se situe au fond de lui-même. Il cherche à se valoriser par tous les moyens alors que tout son bonheur consiste à se reconnaître enfant de Dieu.

Dieu a un regard de Personne à personne et un seul regard sur chaque être. Tout se joue dans un contact et une attention réciproques. Vous êtes appelés à une union amoureuse avec Dieu, c'est la sainteté. Sur terre, elle ne peut être parfaite. Votre âme coopère aux lumières et aux mouvements de la grâce. Dieu est toujours prêt à Se donner mais le problème se situe du côté de l'homme. Ce dernier devrait se reconnaître pécheur, en état d'insatisfaction, hors de la voie spirituelle véritable.

Dans votre service pour les âmes du purgatoire, il vous appartient de convertir votre prochain et lui faire découvrir tout ce qui est le plus réel et le plus vrai dans son existence, c'est-à-dire la relation vivante avec Dieu.

Cette éclipse a bouleversé un grand nombre de personnes. Quand les signes de Dieu apparaîtront, ce sera tellement plus émouvant que beaucoup d'hommes se convertiront; il sera encore temps. (13.08.99)

Sur votre terre vous vivez dans le temps sans une seconde d'arrêt, jusqu'à votre envol vers le ciel, en laissant votre corps retourner aux éléments de la terre. Ce départ n'a pas de durée, c'est en un seul instant que vous sortez du temps.

Au ciel, il est aussi difficile de réaliser ce qu'est le temps, que ne l'est pour vous la représentation de l'éternité. L'au-delà est hors du temps. Si la notion d'éternité peut être prise dans le cadre du temps, il faut l'intégrer comme un temps qui continue toujours, en arrière comme en avant.

Sur terre, d'aucune manière l'homme ne peut être immortel, le temps a une empreinte, il est impensable qu'on puisse infiniment vieillir. Comment pourriez-vous imaginer la marche des générations, si vous naissiez immortels?

La mesure du temps sur votre terre, c'est le calendrier, ce sont les pendules, les montres, mais c'est également tout ce qui vous advient. La vie vous pousse vers le futur, mais en même temps elle a une poussée contraire, c'est-à-dire la détente, l'absence d'intentions, le repos qui sont des instants d'éternité dont vous profitez parfois.

Votre prédisposition et votre ardent désir, c'est l'éternité, c'est Dieu qui vient à l'homme pour y faire sa demeure et partager son repas, c'est un rapport privilégié de Personne à personne.

Aller au ciel n'est pas un voyage comme vous l'imaginez bien souvent. Vous existez dans les trois dimensions et la mort vous en fait sortir pour vous plonger dans des cieux nouveaux.

L'expression «aller au ciel» pour désigner le monde de l'au-delà est une image qui vous permet de parler d'un lieu, d'une direction.

En définitive, vous ne pouvez vous représenter ma manière de vivre, d'être dans une félicité permanente, inexprimable, auprès de Jésus, de Marie, dans un amour, une joie donc un bonheur ineffables. Que vous puissiez imaginer tout ce qu'il y a de mieux, vous serez encore loin du compte.

Oui, j'ai un «travail» si l'on peut dire: aider, former les âmes et me consacrer à elles, qu'elles soient sur terre ou au ciel. Il faut rappeler aux hommes que leurs bien-aimés disparus sont en parfaite sécurité dans leur vie nouvelle; ils progressent, ils continuent d'apprendre pour grandir dans l'amour. Ils servent et leur service est tellement réel: ils servent Dieu, Marie, les saints, ils servent également tous ceux qu'ils aiment sur terre, aussi ne se lassent-ils pas de servir.

Tout comme le savent leurs parents au ciel, il faut que les hommes le sachent: les interventions de leurs chers disparus sont aussi fréquentes qu'efficaces.

Conservez leur mémoire en priant à leur intention; c'est votre raison d'être et votre devoir essentiel. Regardez non aux choses visibles mais à celles qui sont réelles et qui continuent dans la vie éternelle. Ainsi votre propre passage à l'heure voulue se révélera facile, car vous aurez cultivé la communion des saints.

Dans votre ascension vous ne montez pas seuls. Envoyez des pensées d'amour et de compassion à tous ceux qui vous entourent. (02.07.99)

Le Seigneur a besoin des hommes pour porter Son projet et le transmettre aux autres. Dès l'instant de votre baptême, c'est une mission de confiance donnée par Dieu. Tous Ses projets jaillissent de Sa volonté et Il les fait passer aux êtres humains par des âmes résolument portées au bien.

Pour venir sur la terre, Il a eu besoin de la Sainte Vierge Marie et Il continue à avoir soif de chacun de vous pour faire passer Son projet d'amour.

Le livre est une ouverture sur les âmes du purgatoire. Quand des personnes perdent un être cher, elles ne doivent pas reprocher à Dieu de l'avoir repris, sans analyser les causes de l'événement.

Dieu permet bien la mort, ce n'est pas redoutable; c'est à la lumière de votre monde que l'événement est important pour la seule raison que la présence de l'aimé vous manque.

Mais soyez intimement persuadés que la personne chère est dans la lumière de l'éternité où elle retrouve une dimension de plénitude.

Nous sommes près de vous, nous vivons réellement dans une grande compréhension — que vous sentez ou ressentez très bien — et dans un plus grand amour pour vous aider à mieux saisir les réalités du ciel et du purgatoire. Quand vous priez pour ceux qui sont dans la purification, formulez des pensées précises. Il est de la plus grande importance de prier pour tous les oubliés; faites dire des messes, c'est tellement nécessaire. Au purgatoire, ils sont en sécurité et leur souffrance est de ne pas voir Dieu, mais ils ont la certitude qu'un jour ils seront dignes de cette rencontre d'amour.

Pour la Toussaint vous fleurissez les tombes; c'est à vos côtés que nous vivons et non sous terre où nous avons laissé notre vêtement. (07.10.99)

Sur votre terre, vous ne pouvez être des saints, seuls Jésus-Christ et Marie le furent. Tous vous avez des failles qui se colmatent avec l'âge. Peu d'êtres humains rejoignent directement le paradis.

La relation que vous établissez inconsciemment avec les âmes du purgatoire est étroite, féconde et bienfaisante autant pour elles que pour vous. C'est un échange constant et multiple.

Sur terre en permanence vous êtes en cours de purification car vous êtes plus ou moins pécheurs et imparfaits. Votre action pour le ciel, faites-la gracieusement et avec amour; si vous ne demandez rien en échange, en retour vous serez comblés. Le Seigneur demande aux hommes de lui manifester leur amour et leurs désirs au moyen de la prière. Il ne faut rien demander pour soi-même, si ce n'est pour en faire bénéficier les autres. (09.10.99) fidélité et votre persévérance vous vous êtes transformés intérieurement, vous vous êtes instruits et êtes devenus des artisans de paix, en particulier pour ceux qui ont perdu un être cher. C'est la lumière, le réconfort que vous devez apporter à ceux qui sont dans l'obscurité, le désespoir, la souffrance et le malheur. (22.09.98)

Le ciel s'associe à votre souffrance, il est essentiel d'être conscients qu'il se tient à vos côtés, vous aidant à accepter le mal et à le surmonter par votre propre volonté. C'est la souffrance qui rapproche le chrétien de Dieu, cela a été mon cas sur votre terre et c'est le vôtre en ce moment. Méditez bien tout cela.

Evitez de vous remémorer votre passé, mais portez toute votre attention sur la vraie vie qui sera l'occasion de retrouvailles fabuleuses avec votre famille. (22.08.98)

C'est toujours vers le paradis que vous devez diriger vos regards car si vous regardez votre monde où règnent la haine, la violence, la corruption, l'impureté, le sexe, vous ne saurez trouver que découragement et dépression. Détachez-vous du monde et de ses créatures en devenant humbles et bons, tendez votre main à ceux qui veulent bien s'accrocher à l'amour de Dieu.

L'arme contre Satan est la prière, la messe, l'oraison, et le rosaire qui libéreront un si grand nombre d'âmes que le Griffu a réussi à capturer. Par votre vie de chrétiens et par votre action pour le livre, vous avez réalisé une force qui suscite de si bonnes réactions en chaîne pour ramener vers la lumière de Dieu de nombreuses brebis égarées.

Au ciel nous avons tant à faire pour votre pauvre monde où plus que jamais l'homme exploite son prochain et le Malin est bien là pour vous perturber, car vous le combattez, surtout par le livre.

Vous devez vivre dès à présent, non pas pour un instant fugitif, mais en construisant votre éternité et votre devenir, pour être meilleurs et plus forts dans l'abnégation, l'esprit de pauvreté et l'amour. (20.03.99)

Chapitre 9

LE DÉMON ET LES SOUFFRANCES

Luc 9,49-50: Jean prit la parole et dit: «Maître, nous avons vu quelqu'un expulser les démons en ton nom, et nous voulions l'empêcher, parce qu'il ne te suit pas avec nous.» Mais Jésus lui dit: «Ne l'en empêchez pas; car qui n'est pas contre vous est pour vous.»

* * *

Tous les hommes désirent la paix, mais il faut que vous compreniez qu'il faut la mériter. Quand vous êtes attaqués, il vous appartient de gérer ces agressions pour qu'elles puissent être transformées en paix. La paix est un don du ciel qui demande des efforts pour qu'elle puisse devenir effective.

Il faut comprendre que tout ce qui est humain ne peut être purifié que par la croix du Christ. Vous aurez toujours à dominer le péché, la sottise, l'erreur, la hargne et même la violence de l'autre. Dans ces moments, vous devez essayer de comprendre votre ennemi. Quand vous subissez l'épreuve de l'absurde par le comportement de l'autre, vous devez relativiser cette épreuve dans l'espace et dans le temps, c'est surtout votre ego qui en prend un coup, aussi vous ne devez pas vous révolter.

Le Christ n'a pas évité la souffrance. Lui, de nature divine, aurait pu échapper à l'épreuve de la croix et qu'a-t-il rencontré? la solitude et l'abandon.

L'épreuve, c'est la richesse de l'expérience qui vous permet d'avancer. Regardez avec du recul pour ne rien dramatiser ni minimiser et c'est par cet effort de lucidité que vous sortirez des réactions négatives de votre sensibilité. (01.06.98)

Vous vivez dans un univers de dureté impitoyable; dans votre parcours professionnel, parental, conjugal, vous avez imposé vos vues mais pas cherché à comprendre l'autre. Il en est de même sur le plan spirituel, votre parcours est plein d'embûches, mais dans cette mission ce n'est pas vos vues que vous imposez mais celles du ciel.

Evidemment vous rencontrerez des rivaux, des adversaires et des contradicteurs en tous genres, faites confiance en la divine Providence et laissez faire le temps. D'aucune manière vous ne devez vous transformer en victimes. Tout simplement demandez à Dieu de remettre ces détracteurs sur le bon chemin, et pour le demander, vous avez la prière du cœur.

Si on te donne un soufflet sur la joue droite tends la joue gauche; ainsi il faut que vous compreniez bien que si vous ne répondez pas à l'agressivité de l'autre vous le déstabiliserez car ce n'est pas ce qu'il attend de vous.

Dans le Notre Père vous dites bien: *«Pardonnez-nous nos offenses comme nous pardonnons aussi à ceux qui nous ont offensés.»* Oui, pardonnez à ceux qui vous font du mal, priez pour eux, ainsi vous économiserez votre énergie et votre rancœur. (03.07.98)

Au ciel, nous avons tant besoin d'avoir des personnes de votre terre pour mettre les hommes sur une meilleure route, en attendant le retour du Christ glorieux.

La fin des temps est si proche, aussi le diable se déchaîne contre tous ceux qui prient et attendent avec espoir le retour de Dieu. (09.07.98)

Ne soyez pas déçus lorsque vous verrez des personnes douter de ces messages, c'est sans importance, même si on vous traite de médiums.

Laissez dire, laissez faire, vous ne pourrez empêcher l'intervention des mauvais esprits; simplement demeurez plus forts car

vous savez maintenant que le Royaume céleste est bien réel quoiqu'il soit invisible par les yeux de la chair.

Le méchant que vous rencontrerez est un être qui souffre au fond de lui-même car il manque d'amour. Pour faire face aux agressions extérieures, vous n'avez qu'à prier pour lui afin qu'il puisse prendre conscience de tout l'amour de son Créateur. (08.09.98)

La souffrance fait partie de votre monde, c'est elle qui vous purifie, c'est elle qui vous pousse à prier, c'est elle qui est le pain de l'âme qui au ciel se transformera en divine allégresse.

Chaque personne a la juste quantité de souffrances qu'elle est en mesure de supporter. Sur terre, autant physiquement que moralement tous les hommes, d'une manière plus ou moins intense sont sur le chemin de la souffrance. C'est surtout par la souffrance et non la réflexion et le raisonnement que vous avancerez spirituellement. La souffrance permet de mieux comprendre le mal des autres, donc de les aider avec efficacité. (10.08.98)

La vie est pleine de mystères qui vous laissent dans le brouillard. Dieu lui-même vous paraît incompréhensible, Sa sagesse et Sa puissance vous dépassent tant. La Bible vient à votre aide mais il s'agit de bien vouloir la lire.

Dieu permet la souffrance pour éprouver et affermir votre foi. Sachez que si votre réaction est positive vous grandirez dans la foi, sinon vous restez dans le doute et la rancœur.

Votre Père du ciel vous aime tant, aussi vous devenez le reflet vivant de Son amour pour convertir vos frères dans la peine; les talents que le Seigneur vous donne ne peuvent pas rester sans effets et ce sont les témoignages, ce livre surtout.

Oui, la parole s'en va, mais les écrits restent, la parole attire l'attention et pousse l'homme à ouvrir le livre dans lequel il découvre les témoignages, l'enseignement et les prières qui lui permettent de participer activement à la communion des saints.

Pour réaliser votre mission, vous restez à l'écoute de l'Esprit Saint autant pour le livre que pour les témoignages. Par votre

Hélas, tous les gens de votre terre n'ont pas la grâce de recevoir des messages du ciel, ils sont malheureux, ils souffrent, et n'ont pas réalisé qu'ils cherchent dans la mauvaise direction en s'adressant aux devins et aux mages.

Les démons profitent bien des malheurs des hommes, ils peuvent tout imiter, même et surtout l'écriture automatique pour les leurrer et augmenter leur détresse, mais indiscutablement ils éloigneront de Dieu en occultant la prière, mais cela ne peut durer longtemps et ces personnes resteront dans le doute et dans l'angoisse profonde.

Lorsque le ciel éclaire une âme, cette âme doit se donner pleinement, ainsi elle sera éloignée des dangers des mauvais esprits. Restez humbles et obéissants à votre directeur de conscience et votre relation sera encore plus intime avec Dieu. (25.05.99)

Dans votre monde moderne, la musique et les chants rejettent l'harmonie et la tradition classique, pour se réfugier dans des rythmes envoûtants dont l'inspiration émane du prince des ténèbres. Les jeunes y perdent leur volonté face aux choses nécessaires à une vie simple et équilibrée. Ils sont envahis par le sexe, la drogue, la boisson, en un mot tout ce qui mène au suicide. Les consciences sont détruites et l'homme se persuade que la culpabilité est un sentiment dépassé et que chaque être doit s'épanouir en suivant la satisfaction de ses désirs et de ses phantasmes. (04.08.99)

Votre ennemi acharné, vous le combattez inlassablement, il ne se lasse jamais de vous assaillir, il peut se transformer en ange de lumière. Il vous incombe toujours de prier saint Michel et d'ordonner à la bête, *«qu'elle reste dans ses ténèbres et que vous n'avez besoin que de la compassion de votre Jésus, des prières de Marie votre Maman du ciel, de saint Joseph et de tous les autres saints»*.

Cette exigence, vous devriez l'exprimer avant de faire des témoignages, car dans les groupes, il y a toujours des personnes qui sont plus ou moins proches du Griffu.

Ces dernières ne pourront se prévaloir contre vous, c'est de cette unique manière qu'avec votre clé d'amour vous ouvrirez la porte d'or pour passer joyeux et épanouis à la Jérusalem céleste. (10.09.99)

Dans la vie, il faut tout relativiser. Maintes fois, je t'ai parlé de la souffrance, il y a une technique de l'action, mais il y a en particulier une technique de la douleur et surtout de l'épreuve.

La technique? Penser haut, appeler Dieu et partir avec Lui dans l'épreuve, ainsi dans le cas présent cet ami oubliera de penser à lui-même. Son cœur il doit le fixer là où règne l'éternelle sérénité et tous ses travaux, même les plus désagréables, il les réalisera pour Dieu.

Oui, c'est l'espérance qu'il doit mettre dans son âme, ainsi il en finira avec les rancœurs; qu'il reste humble, il n'aura plus de révoltes ni de désespoirs.

Ce mauvais passage ne durera pas, il passe et vous autres restez. Sur la Providence il doit compter, Dieu n'intervient pas visiblement sur-le-champ; pour remercier Jésus, il faut accepter votre part de souffrance.

Tous les saints ont progressé dans l'amour de Dieu pour la découverte de leurs péchés, et qui sur votre terre n'a pas de péchés? Qui? sur cette terre, plus ou moins volontairement n'a-t-il pas fait souffrir ses semblables? Il faut méditer sur tout cela.

L'épreuve est source d'amour mais également de révolte, elle peut être permise par un dessein providentiel béni par la main de Dieu, ce qui doit être surtout apprécié comme une grâce. Pensez aux martyrs, aux saints qui ont été en butte aux mauvais esprits. (17.09.99)

Devant les tentations, comporte-toi en femme forte et combats avec l'aide du Seigneur.

Si tu tombes dans le péché ne reste pas là découragée et abattue. Humilie-toi, mais sans perdre courage; abaisse-toi, mais sans te dégrader; verse des larmes de contrition sincères pour laver tes imperfections et tes fautes, mais sans perdre confiance en la miséricorde de Dieu, qui sera toujours plus grande que ton ingratitude; prends la résolution de te corriger, mais sans présumer de toi-même, car c'est en Dieu seul que tu dois mettre ta force; enfin reconnais sincèrement que si Dieu n'était pas ton armure et ton bouclier, ton imprudence t'aurait entraînée à commettre toutes sortes de péchés.

(Ep 3,698)

Padre Pio

Chapitre 10

LITURGIE, CHAPELET ET PRIÈRES

Liturgie

Jean 6,51: Moi, Je suis le pain vivant, qui est descendu du ciel: si quelqu'un mange de ce pain, il vivra éternellement. Le pain que je donnerai, c'est ma chair, donnée pour que le monde ait la vie.

Jean 6,55: En effet, ma chair est la vraie nourriture, et mon sang est la vraie boisson. Celui qui mange ma chair et boit mon sang demeure en moi et moi je demeure en lui.

* * *

Cette messe dans la basilique souterraine de Lourdes vous a comblés de grâces autant intérieurement qu'extérieurement. Intérieurement, vous avez ressenti tout l'amour de Dieu, la présence de Marie et de cette si pure et si limpide Bernadette. Vous avez été inondés de sérénité et de joie intense pour laisser éclater votre cœur. Extérieurement, c'était la vue de cette foule de chrétiens, de ces nombreux serviteurs de Dieu, de tous ces prêtres; c'étaient les orgues, les chants où vous avez ressenti la présence efficace, réelle de Dieu que vous avez reçu dans la sainte hostie. Ensuite, avec ce cher G. vous avez vécu le Chemin de Croix dans votre âme, votre esprit; vous avez découvert toute la souffrance que Jésus a ressentie à la manière des hommes. C'est la croix qu'Il a choisie que vous devez honorer. (13.02.98)

Quand vous assistez aux messes célébrées avec amour, vous ressentez si bien cette union de l'Eglise du ciel et de l'Eglise de la terre. Nous en éprouvons la plus douce et merveilleuse réalité.

Chaque Eucharistie célébrée sur votre terre détache du ciel une lumière qui part du Cœur de Jésus miséricordieux pour descendre jusqu'à vous. Il est escorté par les anges pour vous nourrir de Son Corps, de Son Sang et de Son Esprit. (20.05.98)

Il arrive que des messes deviennent des assemblées de routine. Si seulement les hommes lisaient un peu plus les Evangiles, s'ils méditaient devant la Croix en aimant Jésus agonisant, ils se verraient dans une glace avec leur propre misère. (14.07.97)

Le plus souvent possible, fréquentez les offices. Vous n'ignorez pas que c'est l'Eucharistie qui rend présent le sacrifice du Christ où vous êtes unis à Son offrande, vous les gens de la terre, mais également Marie la Très Sainte Vierge, tous les saints et saintes, de même que toutes ces âmes qui sont au ciel.

Le sacrifice eucharistique est aussi destiné à ceux qui sont en purification au purgatoire, afin qu'ils accèdent à la lumière de Dieu. La nourriture chrétienne est le seul pain de vie christique.

Pour réussir sa vie, il est essentiel de croire en Jésus et de faire la volonté de Dieu le Père en priant, en aidant et en aimant les autres. Il importe pour tout être humain de réussir sa vie en considérant la vie terrestre comme un pèlerinage, un passage obligé où l'existence de chaque âme n'est pas enlevée mais changée.

La fatalité n'existe pas, la mort c'est l'aboutissement de tous vos actes bons et mauvais qui vous suivent et vous placent parfois au paradis, mais plus souvent au purgatoire haut, moyen ou bas, si ce n'est en enfer. (29.05.98)

C'est Dieu, notre Créateur en personne qui vous aime, aussi bienheureux l'homme qui choisit le Seigneur.

Sur le ciel vous avez une vue si vague. Si vous utilisiez les yeux de l'âme pour assister à la liturgie, vous auriez cet infini bonheur, cette grâce de voir le Seigneur, la Sainte Vierge Marie, les anges, les saints que vous priez et tous vos amis et parents du ciel. (25.06.98)

Le chemin qui mène à Dieu est si réjouissant, surtout si vous pensez au but final du voyage. Par votre vie de prière vous progressez dans le nettoyage de votre âme, ce qui vous donne parfois des instants de joie formidable. C'est par la lecture de la Bible, par les Eucharisties, les chapelets et les méditations que vous vous transformez pour parvenir à une meilleure connaissance réelle de la vie. (27.06.98)

Plus que jamais assistez aux messes, auprès desquelles la prière constitue une ouverture de la conscience, une mise à l'écoute du monde visible et invisible.

Vous vous placerez dans un état de générosité pure par une dilatation, un relâchement, une soumission joyeuse de votre âme. Par les offices et l'Eucharistie, vous élargirez la perception de la réalité pour quitter un égoïsme réducteur.

Vous devez prier pour l'humanité, pour les âmes du purgatoire, et finalement vous prierez pour vous, pour ce que vous êtes, pour ce que vous devez devenir, c'est-à-dire purifiés. (01.07.98)

Par le ciel vous êtes acceptés tels que vous êtes, car Dieu vous aime tout court, magnifiquement. C'est ce que vous devez faire, aimer les autres, sans rien demander en échange; de cette manière une immense compassion pour l'humanité s'emparera de vous. Les autres ne sont-ils pas à votre image, solitaires, démunis, souffrants, demandant (de votre part) un peu de générosité? (03.07.98)

Les pèlerinages ont une importance capitale; ils permettent à des hommes de vivre des temps de prière dans des lieux privilégiés où la Sainte Vierge est venue pour guider les hommes sur le bon chemin. A cet effet, elle demande d'agir pour le bien de l'humanité par des messes, des prières, des confessions et des jeûnes. C'est ce que vous allez faire à Garabandal, ce qui vous permettra de demander aux pèlerins de prier pour toutes ces âmes du purgatoire qui, pour accéder au paradis, ont tant besoin de leur amour. (09.07.98)

Hier, vous avez assisté à la messe à En Calcat. Ce chant grégorien si profond vous fait participer à la prière du Christ, dans ce grand amour adressé au Père dans l'Esprit Saint. A cet effet, petit papa chéri, relis la messe de dimanche mais en approfondissant, et tu te rendras bien compte que chaque cérémonie est un enseignement.

Le dimanche, l'Eucharistie est un témoignage de fidélité au Christ et à son Eglise. Il est évident que c'est avec foi et charité et avec tout votre amour que vous participez à la liturgie de la Parole. Nous y sommes tellement présents et nettement plus nombreux que les hommes de votre terre.

Vous percevez encore plus notre présence quand, dans un geste de foi et d'adoration, le prêtre élève l'hostie consacrée. A cet instant, ce n'est pas seulement le Cénacle mais également la Crucifixion avec les premiers témoins, Marie, Jean, Madeleine, de même que le centurion qui a été saisi par la vérité en proclamant sa foi.

Le Corps du Christ, vous le recevez dans la communion, de même que le Sang que vous buvez, qui est un acte de purification. (03.08.98)

L'adoration du précieux Sang du Christ, vous conduit à intercéder pour le salut de tous les hommes, c'est le sens de votre vocation de baptisé.

Jésus est bien présent dans l'Eucharistie et Son sacrifice ne se terminera qu'avec la fin des temps, quand le salut du monde sera accompli. Mais est également présent dans l'Eucharistie Jésus ressuscité avec son Corps de gloire.

Chaque fois que vous adorez Jésus vivant dans l'Eucharistie, cet amour d'adoration remonte directement jusqu'au cœur du Père, ainsi vous participez activement à la vie trinitaire, donc au Saint Sacrifice de la Messe. (05.08.98)

Beaucoup d'individus reçoivent l'hostie dans la main, comme s'ils prenaient un amuse-gueule. C'est une distribution rapide où la plupart du temps, la personne ne s'est pas préparée à l'arrivée du Roi de gloire qui s'unit à elle. Cette préparation de la venue de Jésus doit être empreinte d'un amour incommensurable. Aussi est-il recommandé, étant invité à ce banquet, de recevoir la sainte communion à genoux et sur la langue, c'est primordial. Si vous ne la recevez pas à genoux, ce qui n'est pas toujours possible, au moins qu'il y ait une génuflexion pour marquer respect et soumission. (15.01.99)

La sainte confession est primordiale pour rester dans le fil de la foi. Dans la confession, en se rappelant la Passion de Jésus on provoque le repentir de son cœur avec la grâce du Seigneur.

Vous devez vous appliquer à une contrition parfaite et y consacrer davantage de temps. Avant de vous confesser, entrez dans le Cœur ouvert et miséricordieux de Jésus. Ainsi, après la confession, avec votre âme misérable vous serez envahis par un océan de la miséricorde divine et vous retrouverez force et vigueur. Oui, confessez-vous le plus souvent possible, ainsi vous rendrez votre âme prête à recevoir la sainte communion. (18.05.99)

Jésus crucifié et ressuscité est réellement présent dans l'Eucharistie. Vous lui devez le plus grand respect mais également toute votre adoration.

Le prêtre assume son ministère au milieu de vous, à la place du Christ, donc vous avez le devoir de l'accueillir avec respect et de prier pour que l'Eglise ne manque pas de saints prêtres. (04.05.99)

Tout à l'heure vous allez assister à cette messe, ce sera un clin d'œil vers le ciel que vous retrouvez tellement présent dans ces offices. Ces prêtres sont de vrais apôtres sur lesquels se reflète la gloire du Seigneur, comme un miroir. Auprès d'eux, on respire la bonne odeur du Christ Jésus. Mon petit papa, le visage de Jésus a le pouvoir de se rendre présent à travers d'autres visages, ce sont des personnes qui rayonnent.

Il faut toujours rechercher la bonne odeur du Christ comme vous aimez tant respirer le bon air de la montagne après avoir passé la plupart de votre temps à respirer les pollens et l'air vicié des usines et des voitures.

Vous avez la grâce de rencontrer sur votre route des prêtres et des amis qui répandent un bon parfum, il suffit d'être à leurs côtés pour ressentir toute la séduction du Christ car ils portent une empreinte de bonheur et de paix. (03.06.99)

Chapelet et prières

Paroles de Paul VI: «*Prière évangélique centrée sur le mystère de l'Incarnation rédemptrice, le Rosaire a donc une orientation christologique.*» *Il s'agit de méditer les mystères de la vie du Seigneur, vus à travers le Cœur de celle qui fut la plus proche du Seigneur.*

Le chapelet est partout où se trouvent de bonnes âmes. C'est très bien de l'avoir, ce n'est pas un grigri, mais c'est surtout, en l'utilisant, une arme contre le démon. C'est également une bouée de sauvetage, si vous tombez dans l'angoisse, la sécheresse du cœur. Il vous aidera à vous relever, car ainsi, avec le chapelet, vous restez fidèles à Jésus en étant avec Marie.

Toi, avec maman, le chapelet vous rassemble, il vous réunit avec vos amis, dans les lieux de pèlerinage et dans les églises, c'est la jonction entre tous les fidèles.

Le chapelet doit se trouver dans votre poche, dans votre sac, dans votre voiture, de manière qu'en toutes circonstances, soit à l'église, en automobile, à pied, dans son lit ou encore entre amis on puisse vivre avec Dieu et Marie.

La méditation du rosaire avec ses phrases limpides et si riches de sens, comble l'âme, en évoquant tour à tour les ambiances et les événements de la vie de Jésus et de Marie.

Voyez tous les miracles qui peuvent se produire en méditant le chapelet, miracles de conversion, miracles de guérison tant physique que morale.

Comme tu le croyais, le chapelet n'est pas seulement destiné aux vieilles bigotes, c'est le ralliement de tous les chrétiens, du pape au plus petit, en passant par tous les religieux et prêtres.

Pourquoi la Sainte Vierge t'aurait-elle demandé de dire, avec maman, un chapelet par jour, si ce n'était pour ma purification et la vôtre également sur cette terre? (04.06.98)

Les hommes qui prient sont si peu nombreux, ceux qui prient pour les âmes du purgatoire sont vraiment rares et je suis si heureux que vous fassiez partie de ces derniers.

Vu du ciel les lumières d'amour et de prière qui éclairent les maisons sont très parsemées. Votre maison ainsi que celle de vos amis, brille d'un éclat particulier et c'est cette lumière qui fait monter les âmes vers le paradis, vers la Grande Lumière. (03.07.97)

En règle générale les hommes ne prient pas ou si peu. Il faut bien qu'ils sachent qu'en disant le chapelet et encore mieux le rosaire, Dieu accorde des grâces aux âmes.

Dieu est si bon pour les hommes qui si souvent sont misérables et ingrats, vous devez tous accomplir Sa sainte volonté en désirant la conversion des hommes et en priant pour elle. Priez pour toutes les personnes qui négligent la prière. (25.05.99)

L'homme a oublié que la prière a une si grande force. Pourquoi, dans l'ancien temps, les hommes priaient-ils pour demander la pluie, afin que la récolte soit bonne? Tout simplement ils avaient la foi et les médias ne les perturbaient pas comme c'est le cas actuellement.

L'homme ne sait pas où il va, ni même ce qu'il veut; oui, l'homme veut tout savoir. Il n'en a pas besoin, il n'a qu'à laisser Dieu lui donner ce qu'il lui faut. Surtout il n'a pas à chercher à connaître ce qui le menace en cette fin des temps, il n'a pas à avoir peur de ce qui doit arriver, des accidents que la nature peut provoquer, cette nature qu'il ne sait pas maîtriser: voyez le nucléaire, le clonage, les expériences qui détruisent l'âme. (29.12.98)

Quand vous êtes dans votre voiture, vous roulez en récitant le rosaire; aussi, vous n'avez rien à craindre. S'il y avait péril, la Sainte Vierge enverrait quelques-uns de ses anges pour vous protéger. Le rosaire fait pénétrer en votre âme des sentiments de douceur, d'humilité, de générosité et des élans de louange. (05.09.99)

Il faut que vous compreniez bien que nos rencontres ont un but extrêmement précis: inciter les gens de la terre à prier pour leurs défunts et ainsi mieux préparer leur entrée dans l'éternité. Ce n'est qu'une question d'amour et c'est la finalité de toute existence. (21.10.99)

Chapitre 11

LA SAGESSE

Jacques 3,17-18: La sagesse qui vient de Dieu est d'abord droiture, et par la suite elle est paix, tolérance, compréhension; elle est pleine de miséricorde et féconde en bienfaits, sans partialité et sans hypocrisie. C'est dans la paix qu'est semée la justice, qui donne son fruit aux artisans de paix.

✳ ✳ ✳

Tu t'imagines, de même que ma petite maman chérie, être indigne d'assumer la charge de cette œuvre pour les âmes du Purgatoire. Sachez que ce n'est pas aux plus grands, aux plus instruits, aux plus intelligents que Dieu s'adresse, mais aux plus humbles, aux plus obscurs, à ceux qui s'en sentent indignes, qui ne se font pas valoir et qui portent leurs croix en louant le Seigneur notre Dieu.

Votre terre ne pourra jamais vous offrir toute la joie, tout le bonheur qui vous attendent de l'autre côté de la rive. Cette joie sera votre récompense pour avoir servi de tout votre cœur la Sainte Trinité mais également pour avoir eu votre lot de souffrances.

Vos prières s'élèvent dans le ciel portées par les anges, pensez-y et sachez que tout ce qui vous arrive c'est par la grâce de Dieu, c'est la Providence qui récompense votre manière d'être. (16.02.98)

Surtout ne soyez pas rassurés sur votre manière de vivre, quand vous vous comparez aux autres; oui, prenez l'habitude de faire votre examen de conscience en profondeur et vous y trouverez

beaucoup de manques. Faites des efforts, vous serez guidés et le plan de Dieu se réalisera dans l'obéissance.

Votre vie, à vous les hommes, ressemble à une course d'obstacles. Il ne faut pas tomber, mais si vous trébuchez vous devez vous relever aussitôt, et non vous coucher par terre complètement découragé. Hélas, c'est ce que font beaucoup d'hommes de votre terre. (18.02.98)

Quels que soient votre volonté, vos efforts, de vous-mêmes vous ne pourrez progresser si Dieu n'est pas présent; c'est par vos prières constantes, par votre humilité que vous y arriverez car malgré les qualités que vous vous attribuez, vous devez bien accepter toute votre pauvreté spirituelle.

Vos propres forces sont bien limitées en comparaison de la puissance de Dieu qui vient à votre secours. A cet effet reprenez les écrits et les témoignages des grands saints et vous verrez qu'ils ont montré tant d'humilité. Très près de vous, sainte Bernadette et sainte Germaine en sont la démonstration. (20.02.98)

Méfiez-vous d'avoir une fausse estime de vous-mêmes, ne faites pas comme beaucoup, ne soyez pas remplis de suffisance. Mettez-vous en présence de Dieu Notre Seigneur en demandant, par d'humbles et ferventes prières, cette défiance que vous êtes incapables d'acquérir de vous-mêmes. Habituez-vous à vous méfier de vous-mêmes, de votre propre jugement. Considérez votre propre faiblesse avec un regard plus vif. Est-ce que vous vous connaissez réellement?

Il est utile que vous vous rapprochiez de la lumière surnaturelle en demandant au Seigneur de vous éclairer, vous en avez tant besoin.

Sa bonté est sans mesure, il est bien là, sans cesse, avec tant de bienveillance, pour vous donner tout ce qui vous est nécessaire pour vivre votre spiritualité et pour triompher des épreuves. Si les gens ne croient pas à votre combat, peu importe: priez pour eux, comprenez qu'ils puissent douter.

Généralement les hommes ne cherchent pas à comprendre, c'est d'ailleurs pour cette raison que vous rencontrez tant d'athées. (24.02.98)

Quoi que vous en pensiez, avec ma petite maman chérie, vous vivez, par cette victoire de l'âme sur le corps, des moments d'une grande intensité et malgré votre souffrance physique et morale que vous offrez au Seigneur et à la Sainte Vierge, vous ne vivez ni dans le passé, ni dans l'avenir, mais de votre mieux, cette minute présente si pleine d'espérance. (26.02.98)

C'est une grande souffrance d'être incompris, surtout de vos parents et amis. Les hommes ne peuvent concevoir ce qu'est l'au-delà, ce qu'est une âme. Les hommes devraient mieux ouvrir les yeux, il suffit qu'ils soient un peu curieux et qu'ils puissent feuilleter la Bible ou bien lire un ouvrage religieux.

Le Christ Notre Seigneur a bien vécu et souffert sur terre pour dégager les ténèbres qui obscurcissent l'esprit humain, pour ensuite ressusciter conformément aux Ecritures et ainsi prouver que la mort n'est qu'un passage obligé; donc peu importe si vous êtes incompris par une majorité des hommes.

Restez humbles et sincères à l'égard des autres, ayez des pensées positives, ce champ positif est le meilleur bouclier qui empêchera les mauvais de vous nuire. Il vous faudra, bien sincèrement, leur souhaiter beaucoup de bonheur, et ces mauvais esprits pourront prendre conscience de leurs effets destructeurs, et le chien galeux se transformera en un adorable toutou. (28.02.98)

Papa, dans cette vie sur terre, tout se mesure en termes de pouvoir et d'argent. Les hommes aiment trop le concret, le palpable, ce qui se voit. En revanche ils n'acceptent la spiritualité qu'avec réticence en vous regardant de haut.

Ils ne comprennent pas que c'est aux cœurs simples que les grâces sont accordées, aux cœurs ouverts au Saint-Esprit avec humilité. C'est l'orgueil qui domine dans votre monde et vous avez la sagesse d'y échapper. (02.03.98)

Votre route est aussi celle de tous les frères du ciel. Vous devez faire ce que recommande l'Evangile, pratiquer la charité. Il ne s'agit pas de donner votre bien, quoique… mais de supporter tous ceux qui vous exaspèrent, que vous n'appréciez pas. Vous devez les aimer avec un complet désintéressement, et sur votre route ils seront la majorité.

L'amour du prochain doit être le trait dominant. Vous devez être sans lacune, aimer tout le monde, les proches comme les étrangers et sans faire de distinction. (28.03.98)

Quand vous faites le bien à autrui, vous lui rendez service, c'est à cette personne que vous le donnez, à sa famille, mais c'est surtout à vous-mêmes car ce que vous avez fait de bien vous sera rendu au centuple.

Vous n'êtes pas sur terre pour être heureux, et si parfois vous avez du bonheur, c'est pour en faire profiter les autres. C'est surtout en aidant les autres à porter leur fardeau que vous serez heureux. Partez du principe que sur votre terre il y a toujours quelque chose à faire: il faut rendre le bien pour le mal et surtout, il ne faut pas en vouloir à ceux qui vous blessent, car ils sont malheureux et dans leur cœur ils ne savent pas ce qu'ils font, car ils ne mesurent pas la portée de leurs actes.

Evitez de médire, quel que soit le tort qu'on a pu vous faire, oubliez l'offense en jetant un voile sur la blessure qu'on vous a faite.

Pour mieux comprendre tout cela, plongez-vous dans le livre sur sainte Thérèse et vous vous rendrez vite compte que vous êtes bien éloignés de la sainteté, et que vous avez donc encore beaucoup de chemin à parcourir. (28.03.98)

Autour de vous, vous trouverez des personnes sous l'emprise du Griffu, d'une manière ou d'une autre; il ne faut jamais leur faire du mal, au contraire priez pour elles et demandez à Dieu qu'elles puissent s'améliorer et chasser l'importun.

Dieu sait bien à qui il donne un pouvoir et ce n'est finalement que pour le bien de tous les hommes. Ainsi est faite votre existence et plus que jamais nous sommes ensemble pour rassembler toutes les brebis égarées et elles sont aussi nombreuses que celles qui restent dans le troupeau, mais la tâche est si belle, si grandiose et Dieu a tant besoin de bons bergers. (31.03.98)

Tous les hommes devraient prendre la route de la sainteté. Cette sainteté, c'est l'acquisition de la plus grande perfection. Aussi vous devez vous oublier vous-mêmes, oublier votre ego pour garder toutes les qualités, tous les talents que le Seigneur vous confie pour qu'Il puisse s'exprimer à travers vous, pour Sa plus grande gloire et le plus grand bien de vos frères de cette terre.

A chaque minute de votre vie, évitez de ramener tout à vous-mêmes, ne vous inquiétez pas de votre apparence, de votre intelligence et surtout de ce que pensent les autres de vous.

Ne soyez pas impatients lorsque les choses ne vont pas comme vous l'avez décidé, acceptez les autres quand ils vous contredisent ou contrarient vos projets.

Restez doux, simples, tournés vers les autres pour les aider. En un mot, détachez-vous de vous-mêmes pour le bien, le bonheur de votre prochain. C'est en regardant le Bon Dieu plutôt que vous-mêmes que vous resterez à l'abri de l'erreur et prendrez le chemin de la perfection. (03.10.98)

La perfection chrétienne, c'est l'oubli de soi, l'accueil de Dieu et l'accomplissement de Sa volonté en faisant taire son ego. C'est aussi la joie d'offrir et d'aimer; c'est se méfier de ramèner quelque chose à soi, car cela peut venir du Malin. (14.10.98)

L'histoire se déroule et chaque homme prend un train en marche pour le ciel. Chacun, suivant ses propres conditions, sortira de l'espace et du temps pour entrer dans le domaine de l'au-delà et pour voir Dieu tel qu'il est.

L'existence terrestre est un pèlerinage, la mort, un passage dans une vie qui n'est pas ôtée mais changée. Aimer les autres, c'est la meilleure préparation pour entrer dans la vraie vie en Dieu. (25.03.99)

Du ciel nous avons l'ardent désir de vous aider tous, mais nous attendons de votre part prières et souvenirs d'amour. Tout ce que vous faites de bien sur terre, vous sera rendu au centuple; ce monde où vous vivez est déjà l'autre monde et votre existence, c'est le sens de la marche vers la vie.

Chaque jour votre âme se rapproche de Dieu le Père pour profiter de la lumière divine, il faut qu'elle soit aussi brillante que le soleil, c'est pour cela que vous souffrez.

Le purgatoire est ce lieu où l'âme se débarrasse de toutes ses impuretés et c'est vous gens de la terre qui pouvez aider efficacement toutes ces âmes par vos prières, vos chapelets, vos rosaires et plus spécialement vos messes. (25.05.99)

Restez humbles; vous avez une magnifique tâche spirituelle à accomplir, mais évitez à tout prix l'orgueil spirituel.

Vous n'avez pas à accuser l'Eglise de tous les maux de votre terre et surtout vous n'avez pas à la rendre responsable de son laxisme ou de sa rigueur; tout simplement écoutez le pape et unissez-vous pour combattre le démon en pratiquant la charité et l'humilité.

Maintenant vous comprenez bien mieux toute la bonté du Dieu Amour. Pensez-y et méditez cela pendant votre rosaire.

En envoyant Son Fils, il a voulu que Ses enfants de la terre et Ses enfants du Ciel soient unis non seulement par le souvenir mais surtout par la communion de leurs âmes immortelles: c'est cela la communion des saints.

Par la prière faites réparation pour toutes les âmes qui ne croient pas en la bonté du Seigneur et surtout à Sa miséricorde. Quand vous priez avec le cœur vous êtes entourés de tous les chœurs angéliques, en présence de la Sainte Vierge Marie, de toutes les puissances célestes en vous adressant au Dieu unique, en la Sainte Trinité. De cette manière vos prières sont extrêmement efficaces autant pour les hommes de votre terre que pour les âmes du purgatoire. (09.08.99)

Il est vrai que votre vie n'est ni simple ni ordinaire, ce qui n'empêche pas qu'elle comporte un lot quotidien d'événements petits et grands, faits de joies et de souffrances, de peines et d'efforts. Le Seigneur vous appelle à une vie d'adoration quotidienne, c'est la vie de sainteté, c'est le chemin de l'amour.

Quand vous faites un cadeau à un parent ou à un ami, vous le faites en fonction de vos moyens et de vos ressources; de même c'est par votre manière d'agir, par vos prières, vos jeûnes, vos rosaires, vos Eucharisties, vos témoignages que vous offrez au Seigneur le meilleur de vous-mêmes, et que vous suivez la voie de sainteté qu'Il a tracée pour vous.

Les physiciens qui étudient les lois qui régissent l'univers et la matière et même les athées découvrent Dieu en constatant que dans la création tout est structuré de la plus petite particule à l'infiniment grand. Tout s'enchaîne, tout s'articule selon les lois qui viennent de Dieu notre Créateur.

Dans votre vie il y a un ordre des choses, dans votre comportement, dans votre mission, vos affections vous devez tendre à ordonner davantage les choses pour les simplifier.

Le désordre complique tout, oui en contemplant la perfection de la création vous comprendrez mieux votre condition humaine donc votre condition d'enfant de Dieu. (04.02.99)

Si l'on ne sent pas de douceur, pas de lumière, pas d'amour en soi, c'est donc qu'il y a souffrance et c'est cela qui est le plus beau qu'on puisse apporter à Jésus. Et qui sait s'il ne demande pas justement de renoncer à cette douceur en faveur de pauvres âmes qui en ont besoin pour ne pas sombrer dans quelque terrible tentation ou pour se rapprocher de la lumière divine! C'est une chose mystérieuse que la charité, mais c'est un apostolat d'autant plus puissant qu'il est secret.

Cardinal Journet

Chapitre 12

LE CORPS, L'ESPRIT ET L'ÂME

Sagesse 9,15-16: Un corps corruptible, en effet appesantit l'âme et cette tente d'argile alourdit l'esprit aux multiples soucis. Nous avons peine à conjecturer ce qui est sur terre, et ce qui est à notre portée nous ne le trouvons qu'avec effort, mais ce qui est dans les cieux, qui l'a découvert?

* * *

De l'amour terrestre, vous avez beaucoup de déceptions. Tout ceci malgré tous les efforts que vous ferez pour être agréables aux hommes. Parfois malgré eux, ils vous infligeront des blessures, car ils ne sauront pas comprendre vos espoirs. (05.07.98)

L'homme a voulu soumettre la nature et qu'a-t-il fait? Il s'est asservi lui-même en s'attaquant à son propre corps par le clonage et souvent en utilisant des médicaments dont il est incapable de mesurer les effets. Pourtant les erreurs passées sont bien réelles comme autant de mises en garde. Se trouvant mal dans sa peau, il est conduit aux dépressions, au suicide, à la drogue, au sexe, à la violence, en un mot au mal de vivre.

Tout se dégrade de plus en plus vite et la terre devient pratiquement inhabitable.

Les dangers relatifs au nucléaire sont bien connus, il a fallu de terribles accidents pour vous ouvrir les yeux; et une autre menace bien plus sournoise est la génétique.

Croyez qu'il n'est pas trop tard pour réagir; vous avez surtout oublié que Dieu est non seulement Connaissance mais Amour.

L'intelligence humaine n'est qu'un monstre, un outil du diable, si elle n'est pas guidée par l'amour et la main de Dieu. (09.07.98)

Le jeûne, c'est le meilleur combustible pour éliminer autant les impuretés physiques que spirituelles. Se priver d'aliments, c'est-à-dire jeûner, au moins le vendredi, ce sera le moment privilégié pour faire la vidange de ta machine corporelle.

Evidemment, le jour du jeûne, il t'appartiendra de boire beaucoup d'eau pour purifier autant le corps que le cerveau. Tu pourrais bien consacrer cette journée à méditer car tes idées couleront d'une façon plus limpide, le bon fonctionnement de tes organes s'en trouvera stimulé et les contacts avec les frères du ciel seront facilités.

Après le jeûne, il ne s'agit pas de te goinfrer, mais de mieux respecter la nourriture, en mangeant plus lentement et en considérant cet acte comme sacré. Cette manière de se nourrir en mangeant très lentement va décupler ton énergie, pense que ces aliments deviendront de véritables remèdes. (18.07.98)

De la même manière que Dieu est glorifié par toute la Cour céleste, il vous appartient de Lui présenter vos louanges en accomplissant ce qui Lui est agréable.

Cela, vous le désirez de toute votre âme, d'autant plus que vous le faites sous son impulsion; oui, petit papa, votre volonté, tout comme la mienne et celle des frères du ciel, est guidée par Notre Seigneur car Il vous porte à aimer ce qu'Il aime, c'est-à-dire toutes Ses créatures.

Votre engagement, votre action vous obligent toujours à combattre au nom du Seigneur, à combattre sans vous lasser, à combattre pour toutes les âmes en souffrance au purgatoire, à combattre pour ramener toutes les brebis égarées qui ont quitté le troupeau, toutes les brebis que le démon tient dans l'esclavage du péché.

Oui, à cet instant même, tant de personnes prennent la route de l'enfer; c'est les vacances: c'est surtout la moisson du diable. (22.07.98)

Très souvent au cours de nos communications, je t'ai parlé de votre monde tant éloigné de la foi et de la tradition. Il s'est tourné vers les plaisirs faciles. La violence domine, l'homme ne respecte plus son corps et de cette manière, vous êtes entrés dans une période de douleurs.

Vous vivez dans un des siècles les plus violents de l'histoire de l'humanité, en ce moment s'accumulent toutes les horreurs possibles. L'homme ne respecte plus rien, il a perdu sa moralité.

Votre planète a besoin d'une bonne lessive, autrement où iriez-vous? Beaucoup de personnes pressentent confusément que tout cela ne peut durer, le mal-être domine, les hommes éprouvent une angoisse profonde que la médecine ou même la psychiatrie ne savent guérir. Désespérés, ils se tournent vers des mages, qui hélas, ont pignon sur rue et organisent même des congrès.

De même la sexualité domine, on ne respecte plus les corps, à ce niveau les animaux sont bien plus raisonnables. (29.07.98)

Ne restez pas dans le troupeau des hommes qui traînent sur la route de la vie, qui se leurrent en ramassant sur les bas-côtés une «nourriture» que dans un si court instant, ils dégustent. Le repas terminé, ils éprouvent quelques difficultés pour digérer, le besoin revient et tout recommence. Il en est de même pour certains intellectuels qui se posent tant de questions en considérant qu'ils sont nés du hasard de la vie… et la vie, d'où vient-elle? L'homme doit sortir du troupeau; comme d'autres bons chrétiens, c'est ce que vous faites. En vous voyant agir, le troupeau vous traite de fous, mais c'est sans importance.

Vous devez garder les yeux fixés sur la lumière du ciel; évidemment vous appliquez la loi de l'effort, mais vous n'avez pas à vous soucier des obstacles ni même des chutes, car vous suivez une voie droite. Ainsi vous arriverez au seuil du monde divin, vous aurez la grâce de voir la nature entière embrasée par le Saint-Esprit.

L'Esprit de Dieu se manifeste sur les individus de différentes manières. Pour certains, c'est un événement, un décès, une souffrance, pour d'autres c'est une rencontre avec une personne, un songe, parfois un coup de foudre. La plupart des hommes se laissent vivre, ils laissent aux autres, plus instruits, le soin de penser et c'est le matraquage de la télévision et des journaux. (03.08.98)

C'est par la souffrance que l'âme grandit, c'est par la souffrance qu'elle avance. Vos épreuves vous devez les supporter avec calme et résignation, car si Dieu les permet, Il a bien une raison, c'est uniquement pour votre purification; vous êtes sur le chemin du ciel, tout votre passé n'est rien en comparaison de ce qui reste à faire. C'est par les prières, les chapelets, les Eucharisties, que vous poursuivrez allégrement votre route vers Dieu, car le Seigneur soutient ceux qui sont des enfants, donc humbles et soumis à la volonté du ciel. (24.08.98)

La vie de l'homme est spirituelle et éternelle, il n'a pas à vieillir, car l'esprit et la vie ne peuvent vieillir. Dieu est vie et la vie c'est la réalité de l'homme. L'homme doit accepter de bonne grâce son âge, car la vieillesse a sa propre gloire, sa beauté et sa sagesse surtout.

Les qualités acquises ne peuvent vieillir: c'est l'amour, la joie, le bonheur, la bonne volonté. Plus que jamais vous devez ressentir la jeunesse de votre esprit en devenant un «homme nouveau».

Trop de personnes redoutent la vieillesse et l'avenir parce qu'elles anticipent l'affaiblissement de leurs facultés mentales et physiques; c'est de cette manière qu'elles cessent de s'intéresser à la vie car elles n'ont plus faim de vérité et c'est la déchéance complète. (06.10.98)

Jésus a accepté de donner Sa vie pour sauver les hommes et cela dans l'atroce supplice de la croix. Ensuite, par la puissance divine, Il a transformé le cadavre de Sa chair mortelle et suppliciée en un corps glorieux et c'est l'instant capital de l'histoire de l'humanité, de toute l'histoire des hommes. Sa Résurrection mérite au plus haut point d'être connue de tous les hommes, d'être méditée et assimilée en chacun de vous.

Dans le Chemin de Croix, il s'agit bien de faire siennes les souffrances de Jésus, de se les approprier, mais en pensant, en vivant Sa Résurrection. Il est ressuscité, c'est un cri d'espérance qui depuis deux mille ans retentit dans le cœur des hommes. Ce cri est toujours aussi fort. Le Christ vainqueur de la mort a surgi glorieux du tombeau. Ainsi, il affirme que notre chair mortelle et si fragile, n'est qu'une enveloppe qui a de merveilleuses capacités certes, mais qui est si provisoire, avec cette force spirituelle qui peut l'habiter.

Poésie dictée par Jean (22.08.99)

> Votre âme est comme une fleur
> Elle sera d'autant plus élevée
> Si elle est plantée dans un cœur
> Débordant d'amour et de bonté.
>
> C'est Dieu qui l'arrosera
> La cultivera
> Coupera chardons et épines
> La traitera, pour écarter poux et chenilles.
>
> Cette fleur produira des graines qui à leur tour
> Donneront naissance à d'autres fleurs
> Qui auront à charge de mettre de l'amour
> Dans tous les cœurs.
>
> Semez des fleurs dans les cœurs
> Agissez pour que ces fleurs
> Soient de plus en plus des splendeurs
> Pour faire honneur à notre Créateur.

Il faut que les hommes soient intimement persuadés que la mort n'existe qu'en apparence. Comme la chenille qui se transforme en papillon votre corps ne meurt pas, il rejoint les éléments de la terre, il y a métamorphose. L'âme se sépare du corps, elle brise les liens qui la retiennent et devient libre pour retrouver la famille qui est passée sur l'autre côté de la rive: ce sont les retrouvailles, c'est la grande fête.

Que nous soyons au paradis ou au purgatoire, nous avons cette faculté de vous aimer encore plus et de vous aider dans votre pèlerinage terrestre. (15.02.99)

Ce sont des myriades d'humains qui sont installés dans l'au-delà de Dieu. Vous avez les saints connus qui sont pour vous des points de repère, des intercesseurs. Ce sont vos saints patrons que vous avez tendance à négliger; il y a ceux de votre parenté, de votre région (sainte Bernadette et sainte Germaine). D'une manière ou d'une autre ils vous connaissent car vous les priez. Pensez également au saint du jour.

Avec Dieu, Jésus, Marie et tous les saints vous avez cette possibilité de dialoguer: ils vous répondront toujours, pas nécessairement par la parole; il faut oser le faire, il faut surtout y penser. (25.03.99)

Sur votre terre, vous laissez trop vos sens errer à leur gré. Il s'agit bien de la vue, de l'ouïe, du toucher, du goût et de l'odorat.

Si vous en éprouvez beaucoup de plaisir, c'est la mauvaise route. Au contraire, les cinq sens doivent être orientés vers le bien, l'utile et le nécessaire. Ils sont à l'origine de déséquilibres, de dérives, en un mot, de tous vos désastres.

Lorsque se présente à un de vos sens extérieurs un objet quelconque, dégagez-en l'Esprit de Celui qui l'a élaboré, recherchez où se découvre l'œuvre de Dieu dans le monde créé et vous pourrez retrouver l'existence de Dieu lui-même. Tout est œuvre de Dieu, l'Esprit invisible communique à l'être la compassion, la splendeur, en un mot tout ce qu'il y a de plus admirable. Comme j'en ai déjà parlé, regardez les arbres, les plantes, le ciel étoilé, les jardins remplis de fleurs dans lesquels chantent les oiseaux: ainsi vous fixerez l'œil de votre esprit sur le Créateur souverain qui est présent en tout cela. (14.04.99)

Beaucoup de femmes utilisent la pilule. La contraception est une solution de si grande facilité. En l'utilisant elles nuisent à l'équilibre de leur corps, d'où les problèmes de santé. La recherche du plaisir sexuel se situe dans une perspective égoïste de jouissance. C'est le serpent qui transforme la femme en objet de plaisir en lui faisant perdre conscience que la fidélité rapproche de Dieu. (20.08.99)

Au ciel nous ne restons pas inactifs: nous assistons souvent aux fêtes célestes. Et puis, il y a tant à faire sur votre terre.

Comment est fait le ciel? Il suffit de lire, dans la Bible, le passage sur la Jérusalem messianique. Il faut que vous sachiez que cette description n'est qu'une image: la réalité, vous ne sauriez la comprendre, c'est tellement merveilleux. Vos sens ne le permettent pas. Tout votre désir doit prendre corps dans le Royaume silencieux et invisible de votre âme.

Il s'agit surtout d'être sincère par l'esprit, l'âme, la pensée et le corps et de percevoir ce qui est bon non seulement pour soi, mais pour tous les hommes de votre terre, de même que pour les âmes du purgatoire. (09.03.99)

N'oubliez pas que Dieu vous a offert des ailes de papillon alors que vous n'étiez qu'une banale chenille. Vous avez accepté, ce qui explique votre métamorphose intérieure, en orientant tout votre être vers le Seigneur et en considérant l'au-delà avec un cœur d'enfant.

L'intérieur de votre âme est un monde grandiose et somptueux où Dieu a fait sa demeure. En dehors de Dieu personne n'a accès à votre âme qui ainsi se fortifie et se purifie. (05.09.99)

Ne savez-vous pas que vous êtes un temple de Dieu, et que l'Esprit de Dieu habite en vous? Si quelqu'un détruit le temple de Dieu, celui-là, Dieu le détruira Car le temple de Dieu est sacré, et ce temple, c'est vous. (1 Co 3,16-17)

Chapitre 13

MESSAGE DU 25.08.99
SUITE À UN PÈLERINAGE À L'INTENTION
DES ÂMES DU PURGATOIRE

Ce fut un pèlerinage d'adoration, tous les participants ont été choisis par le ciel, ce qui a constitué durant ces trois saintes journées, un îlot de salut.

Au milieu de tous les remous de votre monde déchaîné par les mauvais esprits, vous avez tous vécu en pèlerins d'amour des moments inoubliables. Vous étiez une barque-église conduite par le vent de la foi, en quelque sorte n'étiez-vous pas l'arche de Noé?

Tous vous étiez appliqués à la charité et à la prière constante, entre vous il y a eu si peu de critiques. Le ciel vous a ainsi réunis pour prier en faveur des âmes du purgatoire, pour vos familles sur votre terre de souffrance et en particulier pour méditer sur la grandeur de Dieu.

Toutes vos bonnes actions vous seront rendues au centuple, chaque pèlerin agira pour faire passer ce message d'amour, aussi doit-il réunir ses amis et témoigner. *(A cet effet Robert et Yvette sont entièrement à votre disposition.)*

Il faut bien comprendre que ce ne sont pas des cadeaux matériels qui comblent les malheureux, les hésitants, ceux qui se demandent ce qu'il peut y avoir après la mort, mais ce sont des paroles apaisantes, des actes charitables qui leur indiqueront la route, le bon chemin qui conduit à Jésus et à Marie.

Votre terre crie dans la haine, la violence et ses faiblesses, la méconnaissance de l'amour véritable. Il vous appartient en vous appuyant sur la Bible, sur les livres religieux, d'offrir l'espérance en proclamant que Dieu, Jésus, Marie, les saints et toutes vos familles sont si présents en vous et que tous, ils ne demandent qu'à vous aider et à laisser éclater l'amour.

Soyez prêts à accepter l'intervention de l'Esprit Saint, ce qui transformera votre cœur et vous suivrez l'exemple de Jésus; à vos amis conseillez de lire l'Imitation de Jésus-Christ, ce qui pourra les aider à transformer leur âme.

Beaucoup de grâces seront accordées, en premier lieu et ce n'est pas le fruit du hasard (existe-t-il seulement?), tous les pèlerins ont pu constater la conversion de J., ce qui a été très émouvant.

D'heureux événements se produiront parmi les pèlerins, ce seront des guérisons physiques, morales ou spirituelles. Egale-ment, pour les requêtes que vous avez sollicitées pour les âmes du purgatoire, certaines seront exaucées, c'est le secret de Dieu. Il y aura des signes.

Dans votre parcours terrestre il s'agit, sans se révolter, de vivre tous vos moments pénibles: les roses ont bien des épines. Tout ce qui est matériel ne peut amener que des déconvenues, mais il faut bien vivre avec, comment pourriez-vous faire autrement?

Au contraire, quand l'amour de Dieu s'établit dans votre cœur et dans votre âme, tous les problèmes matériels s'écartent de vous surtout si vous faites appel à la divine Providence. Laissez de côté les appâts de la tentation et gardez durablement l'amour de Dieu.

Le purgatoire sur terre, ce sont des épreuves, aussi faut-il les subir avec confiance. Si vous pensez que le Seigneur a déserté votre âme c'est le démon qui agit pour s'y installer, le découra-gement n'est-il pas le meilleur outil du Griffu?

La lutte du bien contre le mal est réelle. Combattez spirituel-lement par les messes, les rosaires, les prières. Cette lutte, ce com-bat spirituel est tellement concret, luttez et comme de nombreuses personnes, ne considérez pas qu'il s'agit d'un problème nerveux, vous imaginant que vous êtes atteints d'une maladie psychique, car c'est alors que le Griffu gagne.

C'est en acceptant sereinement la souffrance que vous aurez davantage de possibilités pour lutter contre la bête immonde.

Tous les pèlerins étaient accompagnés par leurs familles du ciel.

Prière à sainte Mechtilde
†

Père éternel, j'offre le très précieux Sang de Votre divin Fils Jésus-Christ, en union avec toutes les messes qui sont dites aujourd'hui, sur les autels du monde entier, pour les saintes âmes du purgatoire, pour les pécheurs en tous lieux, pour ceux de l'Eglise universelle, pour ceux de nos maisons et de nos proches. Amen!

Conclusion des parents de Jean

Jean, notre enfant chéri, qui est la substance de nous-mêmes, en s'envolant vers le ciel est devenu notre berger et notre soutien.

Nous existions matériellement, il est vrai notre vie familiale autant que professionnelle était assez réussie, mais il manquait le principal, la pierre d'angle, c'est-à-dire la présence de Dieu.

Pourtant du vivant de Jean, nous nous interrogions sur sa spiritualité et nous-mêmes étions en recherche en fréquentant les moines d'une abbaye, en méditant, en lisant des ouvrages religieux, et même en participant à des pèlerinages plus touristiques que fervents.

Ce que Jean n'a pas entièrement réalisé sur terre, nous le poursuivons ensemble dans l'amour. De notre enfant il est devenu notre guide. A cet effet, par ses messages il assure notre formation en nous éclairant de la lumière de Dieu.

Par les nombreux messages des frères du ciel, transmis par notre Jean, petit à petit nous avons découvert l'aspect spirituel de notre vie.

Notre service consiste à rappeler à notre monde que nos amis, nos parents qui sont passés de l'autre côté de la barrière se trouvent dans la vraie vie. Ils sont en route vers cette vision de Dieu face à face. Ils nous demandent de l'amour par le souvenir mais surtout par des messes et des prières.

Notre vie a dépassé la matière; du visible nous sommes passés à l'invisible, du doute et de la souffrance que nous refusions, nous avons acquis la certitude que sur cette terre nous vivons notre purification et que chaque être humain a beaucoup à faire pour son prochain.

La réalité est invisible, inaudible et intouchable, elle est le cœur de la foi. Les signaux venant du monde invisible nous les percevons; c'est possible pour chacun, mais il s'agit de bien le vouloir.

L'Eglise, il ne faut pas la percevoir avec son histoire, c'est-à-dire avec ses qualités et ses manquements, ses grandeurs et ses scandales, il faut la voir avec cette réalité du ciel, invisible certes mais divine et humaine. N'est-elle pas le Corps du Christ et l'Epouse du Saint-Esprit.

Nous pouvons tant pour les âmes. Il y a un seul sens, le sens de l'amour donc de la prière. Cet amour nous devons le donner à fond, tout ce que nous faisons ou que nous omettons a une valeur d'éternité et nous suit dans l'au-delà; oui la mort est une naissance.

Nous existons entièrement avec le ciel, Dieu, Jésus, Marie, les saints que nous prions; les membres de notre famille sont avec nous, ils nous aident et nous aiment.

Nous vivons dans le bonheur avec cette vue directe sur le ciel, cette vue d'amour qui nous permet de ressentir en chaque être humain une partie de notre Dieu d'amour. En chacun, il ne faut voir que le bien et prier pour ce qui n'en est pas.

Nous avons suivi le mieux possible la direction donnée par le ciel. Ce sont nos rosaires journaliers, les offrandes pour les messes, les prières communes avec des amis, les pèlerinages pour les âmes du purgatoire qui permettent de semer le bon grain sur les terres fertiles de ceux qui nous accompagnent.

Surtout il nous appartient de mieux faire connaître l'action du ciel par le livre qui apporte réconfort et espérance.

O Jean, merci de nous avoir fait sortir des ténèbres pour connaître l'amour de notre Créateur.

COMMENT SITUER LES MESSAGES DE JEAN DANS LA FOI ET L'EGLISE

«L'homme est créé pour louer, honorer et servir Dieu notre Seigneur, et, par ce moyen, sauver son âme.

«Et les autres choses qui sont sur la terre sont créées à cause de l'homme et pour l'aider dans la poursuite de la fin que Dieu lui a marquée en le créant. D'où il sait qu'il doit en faire usage autant qu'elles le conduisent vers ce but, et qu'il doit s'en dégager autant qu'elles l'en détournent… désirant et choisissant uniquement ce qui nous conduit plus sûrement à la fin pour laquelle nous sommes créés.»

C'est saint Ignace de Loyola qui nous donne cet enseignement dans les «Exercices Spirituels», en marquant ainsi quel est le «Principe et Fondement» qui doit orienter notre vie, si nous voulons sauver notre âme.

Les «messages de Jean» n'ont pas d'autre raison d'être que de nous guider en cette vie de manière à sauver notre âme!

La cohérence de ces messages avec la foi de l'Eglise est évidente. Ces messages nous conduisent à servir Dieu, par une vie chrétienne en union avec les commandements de Dieu et les enseignements de l'Evangile.

Pas question de polémiquer ni de faire fonctionner inutilement notre intellect, mais suivons le guide, pratiquons ces messages et là nous en goûterons la «substantielle moelle».

Ainsi, nous apporterons un grand soulagement aux âmes du purgatoire, nous éviterons de nombreux péchés, et nous augmenterons nos mérites pour abréger notre propre purgatoire.

Et sur la terre, par la multiplication des groupes de prières, nous remonterons la pente vers le ciel. Le climat pourrait changer, et le règne de Satan ferait place au Règne de Jésus.

Puisque «Dieu est Amour» nous Lui montrerons que nous voulons L'aimer. Etant donné que Sa justice exige une purification en ce monde et au purgatoire, nous nous ferons un devoir de Lui offrir des sacrifices pour nos propres péchés, et ceux du monde, et pour le soulagement des âmes du purgatoire.

Puisque Jésus nous sauve par les souffrances de sa Croix, nous choisirons de communier à Ses douleurs et de tourner résolument le dos au mal.

Parce que Jésus est Dieu, l'offrande qu'Il fait de Lui-même à Son Père est d'un mérite infini, égale à la sainteté de Dieu.

En nous offrant unis à Lui à chaque messe, nos prières, actions, joies et peines acquièrent la même puissance de réparation, d'adoration, d'intercession pour le monde en perdition.

«Alors, tout sera achevé, quand le Christ remettra son pouvoir royal à Dieu le Père après avoir détruit toutes les puissances du mal. C'est Lui, en effet, qui doit régner, jusqu'au jour où Il aura mis sous Ses pieds tous Ses ennemis. Et le dernier ennemi qu'Il détruira, c'est la mort… Alors, quand tout sera sous le pouvoir du Fils, Il se mettra Lui-même sous le pouvoir du Père qui Lui aura tout soumis, et ainsi Dieu sera tout en tous.» (1 Co 15,20-28)

Et nous qui, par notre communion à ses souffrances, aurons contribué à Lui sauver tant d'âmes, nous partagerons Sa gloire pour l'éternité «dans la communion des anges et des saints».

C'est dans ce but que Dieu nous a créés, et rachetés de nos péchés. Les messages de ce livre et notre prière pour la conversion des pécheurs et pour les âmes du purgatoire n'ont pas d'autre but que cette gloire de Dieu, qui sera nôtre pour l'éternité.

*Un prêtre, directeur de conscience
de Robert et Yvette*

PRIÈRES

Le trentain grégorien

Message de Jean

Quand vous offrez des messes en faveur de vos défunts, elles profitent également aux âmes du purgatoire les plus délaissées. Dieu est miséricordieux, ne l'oubliez pas. (30.05.99)

Le trentain grégorien l'emporte sur toute autre dévotion en faveur du purgatoire, par son ancienneté autant que par l'autorité de son fondateur. Son efficacité est exceptionnelle.

C'est un usage très ancien puisqu'il remonte à la fin du sixième siècle. Il tient son nom de saint Grégoire Ier, le Grand (pape de 590 à 604), qui l'institua alors qu'il était abbé de Saint-André à l'abbaye bénédictine du mont Cœlius à Rome.

Enflammé pour les âmes du purgatoire d'une charité très ardente, il se lamentait de ce qu'après sa mort, il ne pourrait plus rien pour elles: «Mon ami, lui dit Notre-Seigneur, je veux bien accorder en ta faveur un privilège qui sera unique. C'est que toute âme du purgatoire, pour laquelle seront offertes trente messes en ton honneur et sans interruption, sera immédiatement délivrée quelle que soit sa dette envers moi.»

A noter que les communautés religieuses ont presque toutes, dans leurs Constitutions, l'obligation de faire dire un trentain de messes grégoriennes pour chaque membre défunt.

Rien n'exige que ce soit le même prêtre qui dise toutes les messes au jour le jour, ni au même autel pendant tout le mois.

Le Notre Père de sainte Mechtilde
pour les âmes du purgatoire

*Le récit suivant qui raconte ce qui arriva à une dame, une âme privilégiée, le 2 février 1968, jour de la Chandeleur, nous montre la très grande valeur et l'abondant usage que l'on peut faire du «**Notre Père**» composé par sainte Mechtilde pour le soulagement des âmes du purgatoire.*

Cela se passe en Suisse, à Einsiedeln, lieu de pèlerinage marial. C'était en hiver, un jour de semaine; l'église était presque vide. Mme Aloisia Lex priait avec des membres de sa parenté.

En regardant vers le maître-autel, elle remarqua la présence d'une religieuse très âgée, vêtue d'un costume religieux fort ancien. Elle alla vers elle et cette religieuse lui remit un feuillet de prières qu'elle mit machinalement dans sa poche. Il se produisit alors quelque chose d'étrange: la porte d'entrée s'ouvrit soudain et elle vit arriver une immense foule de pèlerins, tous pauvrement vêtus, qui marchaient à pas feutrés, comme des fantômes: un flot de pèlerins, une file presque ininterrompue, qui pénétrait dans l'église. Un prêtre se tenait là et leur montrait le chemin. La paysanne se demandait avec étonnement comment cette foule immense allait trouver assez de place dans l'église.

Elle se tourna ensuite sur le côté, pendant un court instant, pour allumer un cierge. Et lorsqu'elle regarda derrière elle, l'église était à nouveau aussi vide qu'au début.

Remplie de stupéfaction, Aloisia demanda à ses parents où donc tous ces gens étaient passés. Pourtant aucun de ceux qui l'avaient accompagnée n'avait remarqué le défilé des pèlerins et personne non plus n'avait aperçu la religieuse. N'en croyant pas ses yeux, elle chercha dans sa poche le feuillet qu'on lui avait donné.

Ce feuillet qu'elle tenait dans les mains, lui prouvait bien qu'elle n'avait pas du tout rêvé. Il contenait le texte d'une prière que, jadis, Notre Seigneur avait enseignée à sainte Mechtilde, lors d'une apparition. C'était le «Notre Père» pour les âmes du purgatoire. A chaque fois que sainte Mechtilde récitait cette prière, elle voyait des légions d'âmes du purgatoire monter au ciel.

Notre Père qui êtes aux cieux ...

Je vous en prie, ô Père céleste, pardonnez aux âmes du purgatoire, car elles ne Vous ont pas aimé ni rendu tout l'honneur qui Vous est dû, à Vous, leur Seigneur et Père, qui par pure grâce, les avez adoptées comme vos enfants.

Au contraire, elles vous ont, à cause de leurs péchés, chassé de leur cœur où vous vouliez pourtant toujours habiter.

En réparation de ces fautes, je vous offre l'amour et la vénération que Votre Fils incarné Vous a témoigné tout au long de Sa vie terrestre,et je Vous offre toutes les actions de pénitence et de satisfaction qu'Il a accomplies et par lesquelles Il a effacé les péchés des hommes. Ainsi soit-il.

Que Votre nom soit sanctifié ...

Je vous en supplie, ô Père très bon, pardonnez aux âmes du purgatoire, car elles n'ont pas toujours honoré dignement Votre saint Nom; elles L'ont souvent prononcé avec inattention et elles se sont rendues indignes du nom de chrétien par leur vie de péchés.

En réparation des fautes qu'elles ont commises, je vous offre tout l'honneur que Votre Fils bien-aimé a rendu à Votre Nom, par Ses paroles et par Ses actes, tout au long de Sa vie terrestre. Ainsi soit-il.

Que Votre Règne arrive ...

Je vous en prie, ô Père très bon, pardonnez aux âmes du purgatoire, car elles n'ont pas toujours recherché ni désiré votre Royaume avec assez de ferveur et d'application. Ce Royaume qui est le seul lieu où règne le véritable repos de l'éternelle paix.

En réparation de leur indifférence à faire le bien, je vous offre le désir de Votre divin Fils, par lequel Il souhaite ardemment qu'elles deviennent, elles aussi, héritières de Son Royaume. Ainsi soit-il.

Que votre volonté soit faite sur la terre, comme au ciel ...

Je vous en prie, ô Père très bon, pardonnez aux âmes du purgatoire; car elles n'ont pas toujours soumis leur volonté en toute chose, et même elles ont souvent vécu et agi en ne faisant que leur volonté.

En réparation de leur désobéissance, je vous offre la parfaire conformité du Cœur plein d'amour de Votre divin Fils avec Votre sainte volonté et la soumission la plus profonde qu'Il Vous témoigne en Vous obéissant jusqu'à Sa mort sur la Croix. Ainsi soit-il.

Donnez-nous aujourd'hui notre pain de chaque jour ...

Je vous en prie, ô Père très bon, pardonnez aux âmes du purgatoire, car elles n'ont pas toujours reçu le saint sacrement de l'Eucharistie avec assez de désir; elles l'ont souvent reçu sans recueillement ni amour, ou même indignement, ou encore elles ont même négligé de le recevoir.

En réparation de toutes ces fautes qu'elles ont commises, je vous offre l'éminente sainteté et le grand recueillement de Notre Seigneur Jésus-Christ, Votre divin Fils, ainsi que l'ardent amour avec lesquels Il nous a fait cet incomparable don. Ainsi soit-il.

Pardonnez-nous nos offenses comme nous pardonnons aussi à ceux qui nous ont offensés...

Je vous en prie, ô Père très bon, pardonnez aux âmes du purgatoire toutes les fautes dont elles se sont rendu coupables en succombant aux sept péchés capitaux et aussi en n'ayant voulu ni aimer ni pardonner à leurs ennemis.

En réparation de tous ces péchés, je vous offre la prière pleine d'amour que Votre divin Fils Vous a adressée en faveur de Ses ennemis lorsqu'Il était sur la Croix.

Et ne nous laissez pas succomber à la tentation ...

Je vous en prie, ô Père très bon, pardonnez aux âmes du purgatoire, car trop souvent, elles n'ont pas résisté aux tentations et aux passions, mais elles ont suivi l'ennemi de tout bien et se sont abandonnées aux convoitises de la chair.

En réparation de tous ces péchés aux multiples formes, dont elles se sont rendu coupables, je Vous offre la glorieuse victoire que Notre Seigneur Jésus-Christ a remportée sur le monde ainsi que Sa vie très sainte, son travail et Ses peines, Sa souffrance et Sa mort très cruelle. Ainsi soit-il.

Mais délivrez-nous du mal ...

Je vous en prie, ô Père très bon, délivrez-nous de tous les fléaux en vertu des mérites de votre Fils bien-aimé et conduisez-nous, ainsi que les âmes du purgatoire, dans Votre Royaume de gloire éternelle, qui s'identifie à vous. Ainsi soit-il.

Le chapelet de saint Michel

Une pieuse personne nommée Antonia d'Astonac eut une apparition du glorieux archange: «Je veux, lui dit saint Michel, que tu répètes neuf fois en mon nom un Pater et trois Ave en union avec chacun des neuf chœurs des anges. Tu termineras ces neuf salutations par quatre Pater, dont le premier en mon honneur, le deuxième en l'honneur de saint Gabriel, le troisième en l'honneur de saint Raphaël, le quatrième en l'honneur de ton ange gardien.»

L'archange promit que tous ceux qui l'honoreraient de cette manière seraient accompagnés à la sainte Table par un ange des neuf chœurs. De plus, à ceux qui seraient fidèles à la récitation quotidienne des neuf salutations il promit son assistance et celle des saints anges durant le cours de la vie, et, après la mort, la délivrance du purgatoire pour eux-mêmes et leurs parents.

--oOo--

Avec un chapelet bénit, spécialement conçu, après avoir baisé pieusement la médaille:

> O Dieu, venez à mon aide.
> Seigneur, hâtez-vous de me secourir.
> Gloire au Père…

Ensuite, laissant les quatre grains qui suivent la médaille, réciter **un Pater** sur le gros grain et **trois Ave** sur les petits grains pour la salutation à chaque chœur des anges.

Au 1ᵉʳ chœur des anges: Par l'intercession de saint Michel et du chœur céleste des séraphins, que le Seigneur nous rende dignes d'être enflammés d'une parfaite charité. Ainsi soit-il.

Au 2ᵉ chœur des anges: Par l'intercession de saint Michel et du chœur céleste des chérubins, que le Seigneur nous fasse la grâce d'abandonner la voie du péché et de courir dans celle de la perfection chrétienne. Ainsi soit-il.

Au 3ᵉ chœur des anges: Par l'intercession de saint Michel et du chœur céleste des Trônes, que le Seigneur répande dans nos cœurs l'esprit d'une véritable et sincère humilité. Ainsi soit-il.

Au 4ᵉ chœur des anges: Par l'intercession de saint Michel et du chœur céleste des Dominations, que le Seigneur nous fasse la grâce de dominer nos sens et de nous corriger de nos mauvaises passions. Ainsi soit-il.

Au 5ᵉ chœur des anges: Par l'intercession de saint Michel et du chœur céleste des Puissances, que le Seigneur daigne protéger nos âmes contre les embûches et les tentations du démon. Ainsi soit-il.

Au 6ᵉ chœur des anges: Par l'intercession de saint Michel et du chœur céleste des Vertus célestes, que le Seigneur ne nous laisse pas succomber à la tentation, mais qu'il nous délivre du mal. Ainsi soit-il.

Au 7ᵉ chœur des anges: Par l'intercession de saint Michel et du chœur céleste des Principautés, que le Seigneur remplisse nos âmes de l'esprit d'une véritable et sincère obéissance. Ainsi soit-il.

Au 8ᵉ chœur des anges: Par l'intercession de saint Michel et du chœur céleste des archanges, que le Seigneur nous accorde le don de la persévérance dans la foi et dans les bonnes œuvres, pour pouvoir arriver à la possession de la gloire du paradis. Ainsi soit-il.

Au 9ᵉ chœur des anges: Par l'intercession de saint Michel et du chœur céleste de tous les anges, que le Seigneur daigne nous accorder d'être gardés par eux pendant cette vie mortelle, pour être conduits ensuite à la gloire éternelle du ciel. Ainsi soit-il.

Sur les grains près de la médaille, réciter **quatre Pater**:

> Le 1ᵉʳ en l'honneur de saint Michel
> Le 2ᵉ en l'honneur de saint Gabriel
> Le 3ᵉ en l'honneur de saint Raphaël
> Le 4ᵉ en l'honneur de notre ange gardien.

Terminer par la prière suivante:

ANTIENNE: Très glorieux saint Michel, chef et prince des Armées célestes, gardien fidèle des âmes, vainqueur des esprits rebelles, favori de la Maison de Dieu, notre admirable guide après Jésus-Christ, vous dont l'excellence et la vertu sont suréminentes, daignez nous délivrer de tous les maux, nous tous qui recourons à vous avec confiance, et faites par votre incomparable protection, que nous avancions chaque jour dans la fidélité à servir Dieu.

Priez pour nous, ô bienheureux saint Michel, prince de l'Eglise de Jésus-Christ,

Afin que nous puissions être dignes de ses promesses.

ORAISON: Dieu tout-puissant et éternel, qui par un prodige de bonté et de miséricorde pour le salut commun des hommes, avez choisi pour prince de Votre Eglise le très glorieux archange saint Michel, rendez-nous dignes, nous vous en prions, d'être délivrés, par sa bienveillante protection, de tous nos ennemis, afin qu'à notre mort aucun d'eux ne puisse nous inquiéter mais qu'il nous soit donné d'être introduits par lui en la présence de votre puissante et auguste Majesté. Par les mérites de Jésus-Christ Notre Seigneur. Ainsi soit-il.

Saint Michel archange, défendez-nous dans le combat pour que nous soyons sauvés au Jugement dernier.

Prière d'adoration devant le saint sacrement

Au début, nous éveillons la foi vivante en la Présence réelle et vraie de Jésus et nous nous abandonnons avec sérénité à cet amour divin.

Tu es ici, Jésus! Tu vois tout, Tu sais tout. Tu m'aimes infiniment, depuis l'éternité.

Par la force divine de ta grâce, tu m'attires continuellement à Toi…

Seigneur Jésus, je t'adore, je te loue, je te bénis…

Je crois fermement en Toi …

Tu es devant moi…

Tu es vivant et caché dans ce pain consacré…

Tu es vrai Dieu et vrai homme!

Je t'adore de tout mon être; avec mon corps, mon âme, mon cœur, et de toutes mes forces, mes sentiments…

Je me donne avec une absolue confiance en Toi.

J'ai confiance en Toi!

Je te consacre chaque instant de ma vie.

Jésus, Tu sais tout ce qui se trouve dans mon cœur, dans mon âme.

Tu sais tout ce qui m'oppresse, me tourmente, me harcèle, me brûle, et me fait mal! Ote de moi toute distraction, fatigue, étroitesse d'esprit, crainte, difficultés, tout souci, toute douleur et souffrance…

Indulgence plénière en faveur d'un défunt

†

(Devant un Crucifix)

O bon et très doux **Jésus**,
je me prosterne à genoux en **Votre Présence**,
et je vous prie et vous conjure,
avec toute la ferveur de mon âme,
de daigner graver dans mon cœur,
de vifs sentiments de foi, d'espérance et de charité,
un vrai repentir de mes péchés
et une très ferme volonté de m'en corriger,
pendant que je considère en moi-même,
et que je contemple en esprit Vos **cinq Plaies**,
avec une grande affection et une grande douleur,
ayant devant les yeux ces paroles,
que le prophète David Vous appliquait déjà,
en les mettant sur Vos lèvres, **ô bon Jésus:**
**«Ils ont percé mes mains et mes pieds,
ils ont compté tous mes os.»**

1 Pater, 1 Ave, 1 Gloria Patri, aux intentions du pape.

Prière à Notre-Dame de Montligeon

tre Dame libératrice,
nds en pitié tous nos frères défunts, spécialement ceux qui
le plus besoin de la miséricorde du Seigneur.

rcède pour ceux qui nous ont quittés afin que s'achève en
l'œuvre de l'Amour qui purifie. Que notre prière unie à celle
toute l'Eglise leur obtienne la joie qui surpasse tout désir et
orte ici-bas consolation et réconfort à nos frères éprouvés ou
emparés.

Je t'adore, ô Jésus! Je te remercie car tu as toujours du temps pour moi, tu m'attends… Je t'adore partout sur la terre, dans le monde entier, dans toutes les églises, dans toutes les chapelles…

Je t'adore dans toutes les personnes qui te cherchent.

En cet instant, je te consacre tous les hommes, je les remets tous entre tes mains. Fais qu'avec tous les hommes, ta sainte Volonté s'accomplisse…

Père, je me remets entre tes mains. Fais de moi tout ce qu'il te plaît. Quoi que tu fasses de moi, Je te remercie!

Je suis prêt à tout et j'accepte tout. Que ta volonté soit faite en moi, ainsi qu'en toute créature. Je ne désire rien d'autre, mon Dieu.

Je remets mon âme entre tes mains, je te la donne, mon Dieu, avec tout l'amour de mon cœur, car je t'aime et c'est un besoin de mon amour, de m'offrir à toi, sans réserve. Je me remets entre tes mains avec une infinie confiance, car tu es mon Père.

(Charles de Foucauld)

Efforçons-nous de ne jamais rien faire «à la hâte». Mais d'attendre et surtout d'acquérir la sérénité de l'âme, de nous confier à la volonté de Dieu, de l'Immaculée, et d'agir avec tranquillité, uniquement dans cet état d'âme.

Père Kolbe

Tant que vous n'aimerez pas Dieu, vous ne serez jamais contents: tout vous accablera, tout vous ennuiera; et dès que vous l'aimerez, vous passerez une vie heureuse.

Saint curé d'Ars

Credo de Nicée-Constantinople

Ce Credo tient sa grande autorité de ce qu'il est issu des deux premiers conciles œcuméniques (en 325 et 381).

Il demeure commun, aujourd'hui encore, à toutes les grandes Eglises de l'Orient et de l'Occident.

Par rapport à celui des apôtres il est plus explicite et plus détaillé.

**Je crois en un seul Dieu, le Père tout-puissant,
Créateur du ciel et de la terre, de l'univers visible et invisible.
Je crois en un seul Seigneur, Jésus-Christ,
le Fils unique de Dieu,
né du Père avant tous les siècles: Il est Dieu, né de Dieu,
Lumière, né de la Lumière, vrai Dieu, né du vrai Dieu
Engendré, non pas créé, de même nature que le Père
et par Lui tout a été fait.
Pour nous les hommes, et pour notre salut,
Il descendit du ciel;
par l'Esprit Saint, Il a pris chair de la Vierge Marie,
et s'est fait homme.
Crucifié pour nous sous Ponce Pilate,
Il souffrit Sa Passion et fut mis au tombeau.**

**Il ressuscita le troisième jour, conformément aux Ecritures
et Il monta au ciel. Il est assis à la droite du Père.**

**Il reviendra dans la gloire, pour juger les vivants et les morts,
et Son règne n'aura pas de fin.
Je crois en l'Esprit Saint, qui est Seigneur et qui donne la vie;
Il procède du Père et du Fils; avec le Père et le Fils,
Il reçoit même adoration et même gloire;
Il a parlé par les prophètes.**

**Je crois en l'Eglise, une, sainte, catholique et apostolique.
Je reconnais un seul baptême pour le pardon des péchés.
J'attends la résurrection des morts et la vie du monde à venir.
Amen.**

Angélus

Trois fois le jour, les cloches nous rappellent que le m[...] sauvé, parce que Dieu s'est fait homme pour nous en na[...] la Vierge Marie.

--oOo--

L'ange du Seigneur apporta l'annonce à Marie
R. Et elle conçut du Saint Esprit.
Je vous salue, Marie…

«Voici la servante du Seigneur.
R. Qu'il me soit fait selon votre parole.»
Je vous salue, Marie…

Et le Verbe s'est fait chair.
R. Et il a habité parmi nous.
Je vous salue Marie…

Priez pour nous, sainte Mère de Dieu,
R. Afin que nous devenions dignes
des promesses du Christ.

Prions le Seigneur

**Daignez, Seigneur,
répandre Votre grâce dans nos âmes,
afin qu'ayant connu,
par le message de l'ange,
l'Incarnation du Christ, Votre Fils,
nous arrivions,
par Sa Passion et par sa Croix,
à la gloire de Sa Résurrection.
Par le Christ, notre Seigneur. Ainsi soit-il.**

Mère de l'Eglise, aide-nous, pèlerins de la terre, à mieux vivre chaque jour notre passage vers la Résurrection.

Guéris-nous de toute blessure du cœur et de l'âme. Fais de nous des témoins de l'Invisible, déjà tendus vers les biens que l'œil ne peut voir, des apôtres de l'Espérance semblables aux veilleurs de l'aube.

Refuge des pécheurs et Reine de tous les Saints, rassemble-nous tous un jour, pour la Pâque éternelle, dans la Maison du Père,

Par Jésus-Christ notre Seigneur. Amen.

Souviens-toi, Seigneur

Prière orthodoxe

Souviens-toi, Seigneur,
de nos parents et nos amis qui se sont endormis
dans l'espérance de ta Résurrection, pour la vie éternelle.

Souviens-toi de nos amis frères et sœurs qui ont terminé leur existence en remettant leurs vies entre tes mains.

Pardonne-leur toutes leurs fautes, reçois-les dans ton Royaume de lumière d'où sont absentes toutes tristesses et toutes peines.

Que la vue de ton visage les réjouisse
avec la Vierge Marie et tous les saints.

Et que la participation à ta vie bienheureuse les épanouisse
au-delà de toute attente et de tout désir.

Car tu es la résurrection et la vie de ceux
qui ont mis en toi leur espoir.

Gloire à toi, notre Sauveur et notre Dieu qui règnes avec le Père
et le Saint-Esprit pour les siècles des siècles.
Amen.

Indulgence de la bonne mort
de saint Pie X, pape, le 9 mars 1904

O Jésus, adorant votre dernier soupir, je Vous prie de recevoir le mien.

Ignorant actuellement si j'aurai le libre usage de mon intelligence quand je quitterai ce monde, je Vous offre, dès maintenant, mon agonie et toutes les douleurs de mon trépas.

Vous êtes mon Père et mon Sauveur. Je remets mon âme entre Vos mains.

Je désire que mon dernier moment soit uni à celui de Votre mort, et que le dernier battement de mon cœur soit un acte de pur amour pour Vous.

Seigneur, mon Dieu, j'accepte dès aujourd'hui, de Votre main, volontiers et de grand cœur, le genre de mort qu'il Vous plaira de m'envoyer, avec toutes ses angoisses, ses peines et ses douleurs.

Prière liturgique
pour les âmes souffrantes de l'au-delà

Dieu clément et miséricordieux, que votre bonté s'étende sur toutes les âmes qui se recommandent à vos prières, et notamment sur l'âme de…

Bons esprits, dont le bien est l'unique occupation, intercédez avec moi pour leur soulagement. Faites luire à leurs yeux un rayon d'espérance, et que la divine Lumière les éclaire sur les imperfections qui les éloignent du séjour des bienheureux. Ouvrez leur cœur au repentir et au désir de se purifier pour hâter leur avancement. Faites-leur comprendre que par leurs efforts, ils peuvent abréger le temps de leurs épreuves.

Puissent ces paroles bienveillantes adoucir leurs peines, en leur montrant qu'il est sur la terre des êtres qui savent y compatir et qui désirent leur bonheur.

Nous vous prions, Seigneur, de répandre sur tous ceux qui souffrent les grâces de Votre amour et de Votre miséricorde. Vous nous avez fait faillibles, mais Vous nous donnez la force de résister au mal et de le vaincre. Que Votre miséricorde s'étende sur tous ceux qui n'ont pu résister à leurs mauvais penchants et sont encore entraînés dans une mauvaise voie. Que vos bons esprits les entourent; que Votre lumière luise à leurs yeux, et qu'attirés par sa chaleur vivifiante, ils viennent se prosterner à Vos pieds, humbles, repentants et soumis.

Dieu, notre Père, qui avez puissance et bonté, donnez la force à celui qui subit l'épreuve. Donnez la lumière à celui qui cherche la vérité. Mettez au cœur de l'homme la compassion et la charité.

Pitié, mon Dieu, pour celui qui ne Vous connaît pas, espoir pour celui qui souffre. Que Votre bonté permette aujourd'hui aux esprits consolateurs de répandre la paix, l'espérance et la foi!

Dieu! Un rayon, une étincelle de Votre amour peut embraser la terre: laissez-nous puiser aux sources de cette bonté féconde et infinie, et toutes les larmes seront séchées, toutes les douleurs calmées; un seul cœur, une seule pensée montera jusqu'à Vous avec un cri de reconnaissance et d'amour.

Comme Moïse sur la montagne, nous étendons les bras vers Vous, ô puissance, ô bonté, ô beauté, ô perfection, et nous voulons en quelque sorte forcer Votre miséricorde. Dieu! Donnez-nous la charité pure, la foi et la raison! Donnez-nous la simplicité qui fera de nos âmes le miroir où doit se refléter Votre image.

O Jésus, Vous qui avez tant fait pour l'humanité, qui êtes rempli de sollicitude pour elle, rendez-la digne de votre amour, en lui inspirant le désir de pratiquer les vertus que Vous lui avez enseignées.

Guide du genre humain, permettez que nous recommandions à votre bienveillante attention nos chers disparus, bienfaiteurs, amis et ennemis morts, et particulièrement... (Nommez vos défunts)

Nous vous supplions, Seigneur, de venir au secours des âmes que vous avez rachetées par votre précieux Sang.

— Accordez-leur le repos éternel, Seigneur;

— Et que la divine Lumière brille toujours pour elles.

Prions:

Seigneur, qui êtes le Créateur et le Rédempteur de tous les fidèles, accordez aux âmes de Vos serviteurs et de Vos servantes la rémission de tous leurs péchés, afin qu'elles obtiennent, par nos pieuses supplications, le bonheur après lequel elles soupirent.

Par Notre Seigneur, Jésus-Christ. Ainsi soit-il.

Qu'ils reposent en paix.

Ainsi soit-il!

Cette prière a été retrouvée dans les affaires de Jean, après sa mort.

Les sept Pater Noster de sainte Brigitte

Le divin Sauveur révéla à sainte Brigitte la promesse suivante: *«Sachez que j'accorderai à ceux qui réciteront, pendant douze ans, sept Notre Père et sept Je vous salue Marie et les prières suivantes en l'honneur de mon précieux Sang, les cinq grâces suivantes:*

1. Ils n'iront pas en purgatoire.

2. Je les compterai au nombre des martyrs, comme s'ils avaient versé leur sang pour la foi!

3. Je conserverai en état de grâce sanctifiante l'âme de trois de leurs parents, au choix.

4. Les âmes de leur parenté, jusqu'à la quatrième génération, éviteront l'enfer.

5. Ils connaîtront la date de leur mort un mois avant.

6. S'ils devaient mourir avant, je considère la chose acquise comme s'ils avaient rempli toutes les conditions.»

Le pape Innocent X a confirmé cette révélation et a ajouté que les âmes qui s'en acquittent libèrent, chaque vendredi saint une âme du purgatoire.

A dire en totalité chaque jour:

Prière

O Jésus, je veux maintenant réciter sept fois le Pater Noster en union avec le même amour par lequel cette prière a sanctifié et adouci Votre Cœur. Prenez-la, de mes lèvres, en Votre divin Cœur. Corrigez-la et perfectionnez-la afin qu'elle apporte autant d'honneur et de joie en la Sainte Trinité que Vous nous en avez démontré sur la terre. Cette prière devrait submerger Votre sainte Humanité pour glorifier Vos saintes Plaies et le précieux Sang qui s'en est écoulé.

1. Circoncision. Notre Père... Je vous salue, Marie...

Père Eternel, par les mains immaculées de Marie et le divin Cœur de Jésus, je Vous offre les premières Plaies, les premières douleurs et la première effusion du sang versé par Jésus pour expier les péchés de l'homme, de la jeunesse, les miens, et pour le renoncement aux premiers péchés mortels, surtout dans ma parenté.

2. Sueur de sang. Notre Père... Je vous salue, Marie...

Père Eternel, par les mains immaculées de Marie et le divin Cœur de Jésus, je Vous offre les douleurs horribles du Cœur de Jésus au jardin des Oliviers, et chaque goutte de sa sueur de sang pour expier tous les péchés de cœur, les miens, pour le renoncement à de tels péchés et pour l'accroissement de l'amour de Dieu et du prochain.

3. Flagellation. Notre Père... Je vous salue, Marie...

Père Eternel, par les mains immaculées de Marie et le divin Cœur de Jésus, je Vous offre les milliers de plaies, les douleurs cruelles et le précieux Sang de Jésus lors de sa flagellation, pour tous les péchés de la chair, les miens, pour le renoncement à de tels péchés et pour la conservation de l'innocence, en particulier dans ma parenté.

4. Couronnement d'épines. *Notre Père...*
Je vous salue, Marie...

Père Eternel, par les mains immaculées de Marie et le divin Cœur de Jésus, je Vous offre les plaies, les douleurs et le précieux Sang de la tête sainte de Jésus lors de Son couronnement d'épines, pour expier tous les péchés d'esprit de l'homme, les miens, pour le renoncement à de tels péchés et pour l'extension du Règne du Christ sur la terre.

5. Portement de la Croix. *Notre Père...*
Je vous salue, Marie...

Père Eternel, par les mains immaculées de Marie et le divin Cœur de Jésus, je Vous offre les douleurs de Jésus sur le chemin de la Croix, surtout Sa sainte Plaie de l'épaule, le précieux Sang, mes murmures contre les saintes ordonnances, tous les péchés commis, pour le renoncement à de tels péchés et pour un véritable amour de la sainte Croix.

6. Crucifixion. *Notre Père... Je vous salue, Marie...*

Père Eternel, par les mains immaculées de Marie et le divin Cœur de Jésus, je Vous offre votre divin Fils, cloué et élevé sur la Croix, Ses plaies aux mains et aux pieds et les trois filets de son précieux Sang versé pour nous, Son extrême pauvreté, Son obéissance parfaite, toutes les affres de Son Corps et de son âme, Sa précieuse mort et Son Sacrifice dans toutes les saintes messes de la terre, pour expier toutes les atteintes aux vœux et aux saintes institutions, en réparation de mes péchés et de ceux du monde entier, pour les malades et les mourants, pour obtenir de saints prêtres et laïcs, aux intentions du Saint-Père, pour la restauration de la famille chrétienne, pour fortifier et encourager la foi, pour notre patrie, pour l'unité des peuples dans le Christ et son Eglise, ainsi que pour tous les pays où les chrétiens sont en minorité.

*7. **Blessure du côté.** Notre Père… Je vous salue, Marie …*

Père Eternel, acceptez, pour le besoin de la sainte Eglise et en expiation des péchés des hommes, ces précieux dons, eau et Sang, jaillis de la plaie du divin Cœur de Jésus.

– Sang du Christ, dernier contenu de votre Sacré-Cœur, lavez-moi et purifiez-moi de tous mes péchés coupables,

– Eau du côté du Christ, lavez-moi et purifiez-moi de mes premiers péchés et sauvez-moi, ainsi que toutes les pauvres âmes, des flammes du purgatoire.

<u>Terminer par le Salve Regina.</u>

Salut, ô Reine, Mère de miséricorde, notre vie, notre douceur et notre espérance, salut!

Enfants d'Eve, exilés nous crions vers vous. Vers vous nous soupirons, gémissant et pleurant dans cette vallée de larmes.

O vous, notre avocate, tournez vers nous vos regards miséricordieux. Et après cet exil, montrez-nous Jésus, le fruit béni de vos entrailles. O clémente, ô miséricordieuse, ô douce Vierge Marie!

Chemin de la Croix

Prière préparatoire avant le Chemin de la Croix

Seigneur Jésus, sur le chemin de la Croix, vous n'étiez accompagné que par votre Mère, quelques femmes et l'apôtre saint Jean. Vous avez souffert et vous êtes mort dans l'abandon; les foules qui vous acclamaient, le dimanche des Rameaux, vous insultaient au Calvaire.

Aidez-nous à Vous suivre avec l'amour et le courage de la Vierge et de saint Jean. Aidez-nous à comprendre Votre amour; aidez-nous à supprimer les fautes qui Vous ont coûté tant de souffrances.

1re Station
Jésus est condamné à mort

*Christ, nous Vous adorons et nous Vous bénissons,
parce que Vous avez racheté le monde par Votre
sainte Croix.*

Seigneur Jésus, Votre Passion a déjà été longue. Vous avez souffert une nuit d'agonie. Vous avez accepté d'être arrêté, interrogé, injurié, maltraité, couronné d'épines.

Vous avez entendu les Juifs crier de toutes leurs forces: «Crucifiez-le! Crucifiez-le!» Pilate Vous a condamné par lâcheté, en disant: «Je ne suis pour rien dans la mort de cet innocent, à vous de voir!»

Ayez pitié de nous, Seigneur Jésus! Par la voix des Juifs, ce sont nos péchés qui vous ont condamné à mort. Et quand il faut combattre et guérir les haines qui vous frappent encore, ne sommes-nous pas aussi faibles que Pilate?

*Notre Père... Je vous salue, Marie... Gloire au Père...
Ayez pitié de nous, Seigneur; ayez pitié de nous!
Que les fidèles défunts, par la miséricorde de Dieu,
reposent dans la paix! Amen!*

2e Station
Jésus est chargé de sa Croix

*Christ, nous Vous adorons et nous Vous bénissons,
parce que Vous avez racheté le monde par Votre
sainte Croix.*

Seigneur Jésus, ouvrier sur bois jusqu'à trente ans, Vous prenez aujourd'hui sur Vos épaules sanglantes les deux poutres de la Croix. Vous allez être cloué sur ce bois que Vos mains travaillaient avec amour. Vous traînez l'instrument de votre mort; mais de cet arbre rougi par Votre Sang, jaillira pour nous une sève éternelle, la vie divine de la grâce.

Apprenez-nous, Seigneur, par le travail de chaque jour à servir nos frères, à racheter nos péchés et à répandre autour de nous la vie chrétienne.

Notre Père... Je vous salue, Marie... Gloire au Père...
Ayez pitié de nous, Seigneur; ayez pitié de nous!
Que les fidèles défunts, par la miséricorde de Dieu,
reposent dans la paix! Amen!

3ᵉ Station
Jésus tombe sous la Croix

Christ, nous Vous adorons et nous Vous bénissons,
parce que Vous avez racheté le monde par Votre
sainte Croix.

Vous acceptez de tomber, Seigneur Jésus, écrasé par le poids de la Croix, la dureté du chemin et la haine des hommes. Plus que la chaleur de midi, plus que les cris de la foule et l'épuisement de Votre Corps, c'est l'horreur de nos péchés et la misère de notre humanité qui nous étouffent comme un manteau de plomb.

Pardonnez, Seigneur, nos premières chutes. Pardonnez nos premiers contacts avec le péché grave.

Notre Père... Je vous salue, Marie... Gloire au Père...
Ayez pitié de nous, Seigneur; ayez pitié de nous!
Que les fidèles défunts, par la miséricorde de Dieu
reposent dans la paix! Amen!

4ᵉ Station
Jésus rencontre sa mère

Christ, nous Vous adorons et nous Vous bénissons,
parce que Vous avez racheté le monde par Votre
sainte Croix.

Marie, la Mère douloureuse suivait son Fils unique. Qu'elle était triste, et affligée, la douce Mère, devant les souffrances de son Fils! Elle aura pourtant la force de le suivre jusqu'à la fin et de rester debout près de la Croix, pour unir le martyre de son âme au sacrifice de notre Sauveur.

Vierge Marie, faites que je souffre comme vous des souffrances du Christ, que j'apprenne à L'aimer comme vous et que je prenne part, comme vous, au salut du monde.

Notre Père... Je vous salue, Marie... Gloire au Père...
Ayez pitié de nous, Seigneur; ayez pitié de nous!
Que les fidèles défunts, par la miséricorde de Dieu,
reposent dans la paix! Amen!

5ᵉ Station
Simon porte la Croix de Jésus

Christ, nous Vous adorons et nous Vous bénissons,
parce que Vous avez racheté le monde par Votre
sainte Croix.

Le cortège rencontre Simon le Cyrénéen, paysan qui revenait des champs. Les soldats le réquisitionnent pour porter la Croix de Jésus. Cet étranger méprisé, ce paysan fatigué doit aider son Dieu! Il accepte avec amour et porte la Croix jusqu'au Calvaire.

A nous aussi, Seigneur, vous avez dit: «Celui qui veut marcher à ma suite, qu'il renonce à lui-même, qu'il prenne sa Croix chaque jour et qu'il me suive!

«Quels que soient notre âge, nos forces et notre situation, Vous nous demandez de vous imiter et de nous dévouer au service de nos frères.

Notre Père... Je vous salue, Marie... Gloire au Père...
Ayez pitié de nous, Seigneur, ayez pitié de nous!
Que les fidèles défunts, par la miséricorde de Dieu,
reposent dans la paix! Amen!

6ᵉ Station

La Sainte Face de Jésus

Christ, nous Vous adorons et nous Vous bénissons,
parce que Vous avez racheté le monde par Votre
sainte Croix.

Seigneur Jésus, une humble femme ose écarter les soldats pour essuyer Votre visage avec délicatesse. Votre Sainte Face l'a émue de pitié. La couronne d'épines Vous perce le front; les valets Vous ont couvert de crachats, les soldats Vous ont meurtri de coups.

Seigneur, c'est la boue de nos péchés qui a rejailli sur Votre face. Désormais donnez à notre cœur la délicatesse des plus humbles dévouements. Vous nous regarderez alors avec un visage souriant et fraternel.

Notre Père… Je vous salue, Marie… Gloire au Père…
Ayez pitié de nous, Seigneur; ayez pitié de nous!
Que les fidèles défunts, par la miséricorde de Dieu,
reposent dans la paix! Amen!

7ᵉ Station

Jésus tombe une deuxième fois

Christ, nous Vous adorons et nous Vous bénissons,
parce que Vous avez racheté le monde par Votre
sainte Croix.

Seigneur Jésus, bousculé par la foule, tiraillé par les soldats, épuisé par tant de haine, vous ne pouvez même plus marcher devant Simon qui porte Votre Croix… Vous ne repartirez vers le sacrifice que par un violent effort de volonté. Que de souffrances pour nous libérer de l'esclavage du démon, pour arracher le mal de nos cœurs!

Pardonnez, Seigneur, les fièvres et les folies de la jeunesse et de la vie. Aidez-nous à résister aux ivresses des faux plaisirs, à nous relever de nos chutes, à obtenir assez de mérite et de force pour marcher avec confiance vers vous.

Notre Père... Je vous salue, Marie... Gloire au Père...
Ayez pitié de nous, Seigneur; ayez pitié de nous!
Que les fidèles défunts, par la miséricorde de Dieu,
reposent dans la paix! Amen!

8e Station
Jésus exhorte les femmes de Jérusalem

Christ, nous Vous adorons et nous Vous bénissons,
parce que Vous avez racheté le monde par Votre
sainte Croix.

Seigneur Jésus, dans la foule immense qui Vous suivait, des femmes pleuraient et gémissaient à la vue de Vos souffrances. Vous leur avez dit: «Ne pleurez pas sur moi; pleurez sur vous-mêmes et sur vos enfants.»

Seigneur, il ne suffit pas de nous apitoyer un instant sur Vos souffrances. Nous devons surtout devenir meilleurs; nous devons mériter Votre amour et Votre pardon.

Notre Père... Je vous salue, Marie... Gloire au Père...
Ayez pitié de nous, Seigneur; ayez pitié de nous!
Que les fidèles défunts, par la miséricorde de Dieu,
reposent dans la paix! Amen!

9e Station
Jésus tombe pour la troisième fois

Christ, nous Vous adorons et nous Vous bénissons,
parce que Vous avez racheté le monde par Votre
sainte Croix.

Seigneur Jésus, tous les péchés de l'humanité se rassemblent en vous pour disparaître dans Votre mort. Voilà pourquoi Vous tombez une troisième fois. Comme dans l'agonie du jardin des Oliviers, étendu sur cette terre dont Vous êtes le Maître, vous avez dû répéter: «Père, que Votre volonté soit faite!»

Pardonnez, Seigneur, nos fautes les plus enracinées: les habitudes que l'on ne veut pas changer, le culte de l'argent, l'égoïsme sans idéal, l'ambition dévorante ou l'impureté que l'on ne combat plus. Pierre vous avait renié trois fois, mais il s'est repenti. Nous tombons plus souvent; en toutes circonstances, apprenez-nous à nous relever.

> *Notre Père... Je vous salue, Marie... Gloire au Père...*
> *Ayez pitié de nous, Seigneur; ayez pitié de nous!*
> *Que les fidèles défunts, par la miséricorde de Dieu,*
> *reposent dans la paix! Amen!*

10ᵉ Station

On enlève à Jésus ses vêtements

Christ, nous Vous adorons et nous Vous bénissons, parce que vous avez racheté le monde par Votre sainte Croix.

Seigneur Jésus, les soldats arrachent brutalement tous Vos habits, malgré le sang qui les colle à chacune de Vos plaies. Car un condamné devait mourir nu, et les bourreaux de corvée se partageaient ses vêtements et sa tunique. Le dénuement de votre mort dépasse la misère de Votre naissance; seul Vous reste ici-bas ce corps exténué, dont la foule ricane grossièrement.

Détachez-nous, Seigneur, du goût de l'argent et de la propriété, de l'amour du bien-être et du plaisir. Rendez-nous capables de donner sans compter, de Vous remercier toujours des biens que Vous nous prêtez, et de mourir dans la joie, sans regretter ce que nous devrons abandonner.

Notre Père… Je vous salue, Marie… Gloire au Père…
Ayez pitié de nous, Seigneur; ayez pitié de nous!
Que les fidèles défunts, par la miséricorde de Dieu,
reposent dans la paix! Amen!

11ᵉ Station
Jésus est cloué sur la Croix

Christ, nous Vous adorons et nous Vous bénissons,
parce que Vous avez racheté le monde par Votre
sainte Croix.

Seigneur Jésus, pour nous sauver, Vous avez obéi jusqu'à la mort en Croix. Allongé sur les deux poutres, Vous sentez les clous broyer Vos mains et Vos pieds. Deux brigands Vous encadrent, comme s'ils représentaient auprès de vous les péchés du monde.

Apprenez-nous à ne pas fuir le sacrifice: «La meilleure preuve d'amour, c'est de donner sa vie pour ceux qu'on aime.»

Notre Père… Je vous salue, Marie… Gloire au Père…
Ayez pitié de nous, Seigneur; ayez pitié de nous!
Que les fidèles défunts, par la miséricorde de Dieu,
reposent dans la paix! Amen!

12ᵉ Station
Jésus meurt sur la Croix

Christ, nous Vous adorons et nous Vous bénissons,
parce que Vous avez racheté le monde par Votre
sainte Croix.

Je veux écouter Vos paroles suprêmes, Seigneur Jésus. Pour les bourreaux (et pour nous les pécheurs): «Père, pardonnez-leur! Ils ne savent pas ce qu'ils font.» A votre Mère et à l'apôtre Jean:

«Mère, voici ton Fils. Voici ta mère.» Au brigand qui se repent: «Aujourd'hui même, tu seras avec moi au paradis.» A votre Père: «Mon Dieu, mon Dieu? pourquoi m'avez-vous abandonné?» A tous les hommes: «J'ai soif.» Il était trois heures de l'après-midi quand Vous avez dit: «Tout est consommé. Père, je remets mon âme entre vos mains.» Penchant la tête Vous avez rendu le dernier souffle.

Seigneur, vous avez versé Votre Sang pour moi… Si je connaissais mes péchés, je perdrais le cœur…

Notre Père… Je vous salue, Marie… Gloire au Père…
Ayez pitié de nous, Seigneur; ayez pitié de nous!
Que les fidèles défunts, par la miséricorde de Dieu,
reposent dans la paix! Amen!

13e Station

Jésus est détaché de la Croix

Christ, nous Vous adorons et nous Vous bénissons,
parce que Vous avez racheté le monde par Votre
sainte Croix.

Seigneur Jésus, de Votre Cœur percé d'un coup de lance, il n'a coulé qu'un peu de sang et d'eau. Votre mort décident Joseph d'Arimathie et Nicodème. Ils vous détachent de la Croix et vous déposent sur les genoux de Votre Mère. Marie adore ce corps divin qu'elle forma, qu'elle nourrit et que nos péchés ont torturé jusqu'à la mort!

Mère douloureuse, apprenez-nous à compléter, par notre vie et nos souffrances, tout ce qui manque à la Passion du Christ pour élever à son amour les âmes de nos frères.

Notre Père… Je vous salue, Marie… Gloire au Père…
Ayez pitié de nous, Seigneur; ayez pitié de nous!
Que les fidèles défunts, par la miséricorde de Dieu,
reposent dans la paix! Amen!

14e Station
Jésus est enseveli

Christ, nous Vous adorons et nous Vous bénissons,
parce que Vous avez racheté le monde par Votre
sainte Croix.

Seigneur Jésus, pendant que Votre Corps est déposé dans un tombeau d'emprunt, votre âme se rend au séjour des morts pour leur annoncer la rédemption. Les Juifs sont fiers de votre disparition; ils placent des gardes et scellent votre tombe. Vos disciples, découragés, restent dispersés dans la ville. Mais pour vous le tombeau n'est qu'une étape. Dès l'aube de Pâques, vous ressuscitez, glorieux. — «Confiance! J'ai vaincu le monde!»

A mesure, Seigneur, que nous triomphons du mal dans notre vie et dans le monde où Vous nous avez placés, nous participons à Votre victoire. Donnez-nous la joie de lutter, de souffrir et de triompher avec vous, afin que Votre règne arrive sur la terre comme au ciel!

Notre Père... Je vous salue, Marie... Gloire au Père...
Ayez pitié de nous, Seigneur; ayez pitié de nous!
Que les fidèles défunts, par la miséricorde de Dieu,
reposent dans la paix! Amen!

Litanies des saints

Seigneur, *ayez pitié de nous* — O Christ, *ayez pitié de nous*
Seigneur, *ayez pitié de nous*
Jésus-Christ, *écoutez-nous* — Christ, *exaucez-nous*
Père céleste, qui êtes Dieu, *ayez pitié de nous*
Fils, Rédempteur du monde qui êtes Dieu, *ayez pitié de nous*
Esprit Saint, qui êtes Dieu *ayez pitié de nous*
Trinité sainte, un seul Dieu, *ayez pitié de nous*
Sainte Marie, *priez pour nous*
Sainte Mère de Dieu, *priez pour nous*
Sainte Vierge des vierges, *priez pour nous*

Saint Michel, priez *pour nous*

Saint Gabriel, *priez pour nous*

Saint Raphaël, *priez pour nous*

Tous les saints anges et archanges, *priez pour nous*

Tous les saints ordres des esprits bienheureux, *priez pour nous*

Saint Joseph, *priez pour nous*

Tous les saints patriarches et prophètes, *priez pour nous*

Saint Pierre, *priez pour nous*   Saint Thaddée, *priez pour nous*

Saint Paul, *priez pour nous*   Saint Matthias, *priez pour nous*

Saint André, *priez pour nous*   Saint Barnabé, *priez pour nous*

Saint Jacques, *priez pour nous*   Saint Luc, *priez pour nous*

Saint Jean, *priez pour nous*   Saint Marc, *priez pour nous*

Saint Thomas, *priez pour nous*   Saint Matthieu, *priez pour nous*

Saint Jean-Baptiste, *priez pour nous*   St Simon, *priez pour nous*

Tous les saints apôtres et évangélistes, *priez pour nous*

Tous les saints disciples du Seigneur, *priez pour nous*

Tous les saints Innocents, *priez pour nous*

Saint Barthélemy, *priez pour nous*

Saint Philippe, *priez pour nous*   Saint Laurent, *priez pour nous*

Saint Vincent, *priez pour nous*   Saint Etienne, *priez pour nous*

Saint Martin, *priez pour nous*   Saint Nicolas, *priez pour nous*

Saint Antoine, *priez pour nous*   Saint Bernard, *priez pour nous*

Saint Fabien et Sébastien, "   Saint Benoît, *priez pour nous*

Saint Côme et Damien, "   St Dominique, *priez pour nous*

Saint Gervais et Protais, "   Saint François, *priez pour nous*

Tous les saints martyrs, "   Saint Ambroise, *priez pour nous*

Saint Augustin, *priez pour nous* Saint Grégoire, *priez pour nous*

Saint Jérôme, *priez pour nous*   St curé d'Ars, *priez pour nous*

Tous les saints prêtres et lévites, *priez pour nous*

Tous les saints moines et ermites, *priez pour nous*

Sainte Marie-Madeleine, *priez pour nous*

Sainte Agathe, *priez pour nous*   Sainte Lucie, *priez pour nous*

Sainte Agnès, *priez pour nous*   Sainte Cécile, *priez pour nous*

Sainte Catherine, *priez pour nous* Ste Anastasie, *priez pour nous*

Sainte Thérèse, *priez pour nous*   Ste Bernadette, *priez pour nous*

Sainte Germaine, *priez pour nous* Ste Faustine, *priez pour nous*
Sainte Rita, *priez pour nous*
Toutes les saintes vierges et veuves, *priez pour nous*
Tous les saints et les saintes de Dieu, *intercédez pour nous*
Soyez-nous propices, *pardonnez-nous, Seigneur*
Soyez-nous propices, *exaucez-nous, Seigneur*
De tout mal, *délivrez-nous, Seigneur*
De tout péché, *délivrez-nous, Seigneur*
De votre colère, *délivrez-nous, Seigneur*
D'une mort subite et imprévue, *délivrez-nous, Seigneur*
De la colère, de la haine, *délivrez-nous, Seigneur*
De toute volonté mauvaise, *délivrez-nous, Seigneur*
De l'esprit de fornication, *délivrez-nous, Seigneur*
De la foudre et de la tempête, *délivrez-nous, Seigneur*
Des tremblements de terre, *délivrez-nous, Seigneur*
De la peste, de la famine et de la guerre, *délivrez-nous, Seigneur*
De la mort éternelle, *délivrez-nous, Seigneur*
Par le mystère de votre sainte Incarnation, *délivrez-nous,
    Seigneur*
Par votre avènement, par votre Nativité, *délivrez-nous, Seigneur*
Par votre Baptême, et votre saint Jeûne, *délivrez-nous, Seigneur*
Par votre Croix et votre Passion, *délivrez-nous, Seigneur*
Par votre Mort et votre Sépulture, *délivrez-nous, Seigneur*
Par votre Résurrection, *délivrez-nous, Seigneur*
Par votre admirable Ascension, *délivrez-nous, Seigneur*
Par la venue de l'Esprit Saint Consolateur, *délivrez-nous,
    Seigneur*
Au jour du Jugement, *délivrez-nous, Seigneur*

Pécheurs, nous vous en prions, écoutez-nous:

Pour que Vous daigniez nous épargner,
Pour que Vous daigniez nous être indulgent,
Pour que Vous daigniez nous conduire à une véritable pénitence,
Pour qu'il Vous plaise de conduire et de conserver Votre Eglise,

Pour qu'il Vous plaise de conserver tous les ordres de l'Eglise dans une religion sainte,

Pour qu'il Vous plaise d'humilier les ennemis de la Sainte Eglise,

Pour qu'il Vous plaise de donner, aux rois et aux princes chrétiens, la paix et une véritable concorde,

Pour qu'il Vous plaise de donner à tout le peuple chrétien, la paix et l'unité,

Pour qu'il Vous plaise d'appeler tous ceux qui sont dans l'erreur à l'unité de l'Eglise, et de conduire tous les infidèles à la lumière de l'Evangile,

Pour qu'il Vous plaise de nous conforter nous-mêmes dans Votre saint service, et de nous y conserver,

Pour qu'il Vous plaise d'élever nos esprits aux désirs célestes,

Pour que Vous récompensiez tous nos bienfaiteurs en leur donnant les biens éternels,

Pour que Vous arrachiez nos âmes, celles de nos frères, de nos proches et de nos bienfaiteurs à l'éternelle damnation,

Pour qu'il Vous plaise de donner à tous les fidèles défunts le repos éternel,

Pour qu'il Vous plaise de nous exaucer,

Fils de Dieu, nous vous en prions, écoutez-nous.

Agneau de Dieu, qui enlevez les péchés du monde, pardonnez-nous, Seigneur;

Agneau de Dieu, qui enlevez les péchés du monde, exaucez-nous, Seigneur;

Agneau de Dieu, qui enlevez les péchés du monde, prenez pitié de nous;

Jésus-Christ, écoutez-nous, Jésus-Christ, exaucez-nous;

Seigneur, prenez pitié; O Jésus-Christ, prenez pitié Seigneur, prenez pitié.

Notre Père (à voix basse)

Et ne nous laissez pas succomber à la tentation, mais délivrez-nous du mal.

Prions:

Mon Dieu, dont le propre est de toujours avoir pitié, et de pardonner: accueillez nos supplications afin que la miséricorde de votre pardon nous délie, nous et tous vos serviteurs qui sommes enchaînés par nos méfaits.

Exaucez, Seigneur, nous Vous le demandons, les prières de ceux qui Vous en supplient et pardonnez leurs péchés à ceux qui les confessent: afin que, dans Votre bonté, Vous nous accordiez Votre indulgence et la paix.

Dans Votre clémence, montrez-nous, Seigneur, Votre ineffable miséricorde: afin qu'en même temps Vous nous délivriez de nos péchés, et que Vous nous arrachiez aux peines qu'ils nous ont méritées.

Dieu, qui êtes offensé par la faute, mais apaisé par la pénitence: regardez favorablement les prières de Votre peuple qui Vous supplie; et écartez les châtiments de Votre colère que nous méritons pour nos péchés.

Dieu tout-puissant et éternel, prenez pitié de Votre serviteur notre pape Jean-Paul II, et dirigez-le, dans Votre bienveillance, sur la voie du salut éternel: afin que, par Votre grâce, il désire ce qui Vous est agréable, et qu'il l'accomplisse de toute sa force.

Dieu, de qui viennent les saints désirs, les desseins conformes à Votre Volonté, et les œuvres de justice: donnez à Vos serviteurs cette paix que le monde ne peut donner: afin que nos cœurs s'appliquent à observer Vos commandements, et que, la crainte de nos ennemis étant écartée, nous vivions, sous Votre protection, des temps tranquilles.

Brûlez, Seigneur, du feu de Votre Esprit Saint, nos reins et notre cœur: afin que nous Vous servions avec un corps chaste, et que nous Vous soyons agréables par la pureté de notre cœur.

O Dieu, Créateur et Rédempteur de tous les fidèles, accordez à Vos serviteurs et à Vos servantes la rémission de tous leurs péchés afin qu'ils obtiennent, par nos pieuses supplications, le pardon qu'ils ont toujours désiré.

Devancez, Seigneur, nos actions, par Votre inspiration, et aidez-nous à les accomplir jusqu'au bout: afin que nous commencions toutes nos prières et nos actions avec Vous, et qu'avec Vous nous achevions ce que nous avons entrepris.

Dieu tout-puissant et éternel, qui régnez sur les vivants et sur les morts, et qui avez pitié de tous ceux que Vous connaissez d'avance comme Vos fidèles par leur foi, par leurs œuvres: nous Vous supplions à genoux; que ceux pour qui nous avons décidé de répandre nos prières — soit qu'ils vivent encore dans leurs corps en cette vie, ou que, dépouillés de leur corps, ils soient déjà dans l'autre vie; par l'intercession de tous les saints, ils obtiennent en Votre douce miséricorde, le pardon de tous leurs péchés, par Notre Seigneur Jésus-Christ, Votre Fils qui vit et règne avec Vous, pour les siècles des siècles, Amen!

Le Seigneur soit avec vous — Et avec votre esprit. — Que le Seigneur tout-puissant et miséricordieux exauce nos prières, Amen!

Et que les âmes des fidèles défunts par la miséricorde de Dieu reposent dans la paix, amen!

Litanies de saint Michel

Seigneur, *prenez pitié,*
O Christ, *prenez pitié,*
Seigneur, *prenez pitié,*
O Christ, *écoutez-nous,*
O Christ, *exaucez-nous.*

Père du ciel, Seigneur Dieu,	*prenez pitié de nous*
Fils, Rédempteur du monde, Seigneur Dieu,	*prenez pitié de nous*
Esprit Saint, Seigneur Dieu,	*prenez pitié de nous*
Trinité Sainte, un seul Dieu,	*prenez pitié de nous*
Sainte Marie, Reine des anges,	*prenez pitié de nous*
Saint Michel archange,	*prenez pitié de nous*
Saint Michel, chef de tous les anges,	*prenez pitié de nous*
Saint Michel, rempli de la sagesse de Dieu,	*prenez pitié de nous*
Saint Michel, Prince très glorieux,	*prenez pitié de nous*
Saint Michel, fort dans les combats,	*prenez pitié de nous*
Saint Michel, terreur des démons,	*prenez pitié de nous*
Saint Michel, vainqueur de Satan,	*prenez pitié de nous*
Saint Michel, notre soutien dans la lutte contre le mal,	*prenez pitié de nous*
Saint Michel, Prince de la milice céleste,	*prenez pitié de nous*
Saint Michel, fidèle serviteur de Dieu,	*prenez pitié de nous*
Saint Michel, messager de Dieu,	*prenez pitié de nous*
Saint Michel, ange de la paix,	*prenez pitié de nous*
Saint Michel, gardien du paradis,	*prenez pitié de nous*
Saint Michel, soutien du peuple de Dieu,	*prenez pitié de nous*
Saint Michel, gardien et patron de l'Eglise,	*prenez pitié de nous*
Saint Michel, bienfaiteur des peuples qui t'honorent,	*priez pour nous*
Saint Michel, dont la prière conduit aux cieux,	*priez pour nous*
Saint Michel, qui introduit les âmes dans la lumière éternelle,	*priez pour nous*
Agneau de Dieu, qui enlevez le péché du monde, *pardonnez-nous*	

Agneau de Dieu, qui enlevez le péché du monde, *exaucez-nous*

Agneau de Dieu, qui enlevez le péché du monde, *prenez pitié de nous*

Priez pour nous, saint Michel archange
Afin que nous soyons dignes des promesses du Christ.

Oraison

Dieu tout-puissant et éternel, vous avez établi saint Michel gardien de l'Eglise et du paradis, accordez par son intercession: à l'Eglise de remplir sa mission; au monde, la paix et le juste partage; à nous, la grâce en cette vie et la gloire dans l'éternité. Par Jésus le Christ notre Seigneur. Amen

Prière de Léon XIII

Saint Michel archange, défendez-nous dans le combat, soyez notre secours contre la malice et les embûches du démon. Que Dieu lui commande, nous vous en supplions. Et vous, Prince de la milice céleste, par la vertu divine, repoussez en enfer Satan et les autres esprits mauvais qui sont répandus dans le monde en vue de perdre les âmes. Ainsi soit-il!

La médaille de saint Benoît

Le Christ a exorcisé les possédés du démon. Dans le baptême, le prêtre exorcise le catéchumène. L'Eglise bénit solennellement l'eau baptismale; elle fait un grand usage de l'eau bénite.

Elle bénit la médaille de saint Benoît afin que la foi de celui qui utilise cet objet soit fortifiée, qu'elle se transforme en charité, en patience, qu'elle soutienne la bonne volonté dans le combat quotidien, et tout cela avec l'aide du saint, puissant devant le Seigneur, que l'on invoque!

Prière

†

Croix du saint Père Benoît
Croix sainte, sois ma lumière.
Non, dragon, ne sois pas mon directeur.
Va, retire-toi, Satan. Non, jamais,
Tu ne me persuaderas, à moi, de suivre tes vanités.
Ce sont des maux que tu lâches sur nous comme l'eau.
Toi-même, garde tes venins.
Jésus. Vive Jésus!

Prière de guérison

Même si le prêtre peut la lire après l'absolution, cette prière peut être lue dans un groupe de prière par un frère ou une sœur sur un autre frère ou une autre sœur.

Elle manifeste l'amour de Dieu, qui nous devance et qui veut rendre l'espérance et la dignité à la personne découragée. Dans la prière confiante, Dieu nous recrée.

Que Dieu tout-puissant vous fasse miséricorde, qu'Il vous pardonne vos péchés et vous conduise à la vie éternelle.

Qu'il vous réconcilie avec Lui, avec les autres, et avec vous-même, recréant l'harmonie entre toutes les composantes de votre être.

Qu'Il vous guérisse de toutes vos blessures, celles du cœur et celles de la mémoire; de tous les chocs et traumatismes subis depuis votre conception jusqu'à ce jour, de toutes les frustrations et de toutes les carences de l'ordre de l'affectivité, et de l'ordre du jugement.

Qu'Il restitue en vous la pleine liberté des enfants de Dieu, qu'Il vous permette de marcher joyeusement dans la voie de Ses commandements sans aucune entrave provenant soit de votre hérédité, soit de votre propre histoire, soit de la malice de l'ennemi. Et que Dieu vous donne Son amour, Sa paix, Sa joie, pour que vous en soyez témoins devant tous ceux que vous rencontrerez. Amen.

Prière à sainte Germaine de Pibrac

Souvenez-vous, ô très douce Germaine, de vos frères et de vos sœurs qui gémissent et qui souffrent dans cette vallée de larmes.

Souvenez-vous qu'ils espèrent en vous, qu'ils attendent de vous secours dans leurs épreuves, consolation dans leurs douleurs.

Souvenez-vous que vous aussi avez gémi, que vous aussi avez pleuré, que vous aussi avez connu la pauvreté, l'isolement, l'humiliation et la souffrance.

Et maintenant, dans votre gloire, souvenez-vous de nos misères; dans votre puissance, souvenez-vous de notre infirmité; dans votre bonheur, souvenez-vous de nos larmes!

Formez-nous à l'école de votre douceur, de votre patience, de votre foi, de votre charité. Puis, au sortir de ce monde, recevez-nous dans l'éternelle patrie.

Paroles de Marthe Robin

Ne nous créons pas nos souffrances, mais quand elles se présentent, comme Jésus, comme Marie, portons-les vaillamment. La souffrance prend la valeur que lui donne celui qui la porte. De grâce, ne souffrons pas pour rien, c'est trop triste.

Je connais maintenant la Joie la plus pure, la plus douce qu'on puisse connaître: celle de vivre pour les autres et pour leur bonheur. C'est en pensant aux souffrances de Jésus-Christ, à son amour rayonnant sur la Croix, que je suis parvenue à m'unir à Lui dans une communion intime et constante.

Avant de partir en voyage

Que le Seigneur tout-puissant et miséricordieux nous dirige sur un chemin de paix et de prospérité, et que l'archange Raphaël nous accompagne en chemin, afin que nous puissions revenir chez nous en paix, santé et joie.

Béni soit le Seigneur, le Dieu d'Israël, qui visite et rachète son peuple. Il a fait surgir la force qui nous sauve dans la maison de David son serviteur; comme il l'avait dit par la bouche des saints, par ses prophètes depuis les temps anciens:

— Salut qui nous arrache à l'ennemi, à la main de tous nos oppresseurs.

— Amour qu'Il montre envers nos pères, mémoire de son alliance sainte.

— Serment juré à notre père Abraham de nous rendre sans crainte, afin que délivrés de la main des ennemis nous Le servions dans la justice et la sainteté, en sa Présence tout au long de nos jours.

— Et toi, petit enfant, tu seras appelé prophète du Très-Haut, tu marcheras devant, à la Face du Seigneur et tu prépareras ses chemins

* pour donner à son peuple de connaître le salut, par la rémission de ses péchés grâce à la tendresse, à l'amour de notre Dieu, quand nous visite l'Astre d'en haut;

* pour illuminer ceux qui habitent les ténèbres et l'ombre de la mort, pour conduire nos pas au chemin de la paix.

Seigneur, prenez pitié — O Christ prenez pitié — Seigneur, prenez pitié.

Notre Père (à voix basse)

— Sauvez, ô mon Dieu, Vos serviteurs qui ont mis en Vous leur espérance

— Envoyez-nous, Seigneur, Votre secours, du haut de Votre Demeure sainte, et du haut de Sion protégez-nous.

Soyez pour nous, Seigneur, une forteresse imprenable à la face de nos ennemis.

Que l'ennemi n'ait aucune prise sur nous

— et que le fils de l'iniquité n'essaie pas de nous nuire.

— Que Dieu soit béni chaque jour, et qu'Il nous donne de faire bonne route, Lui qui est Dieu de toutes les délivrances. Seigneur, montrez-nous Vos chemins et enseignez-nous Vos sentiers.

— Puissent nos voies se diriger à garder Vos commandements

— Les chemins tortueux deviendront droits et les lieux escarpés seront aplanis. Dieu a donné ordre à ses anges de te garder sur tous tes chemins

— Seigneur, écoutez ma prière, et que mon cri parvienne jusqu'à Vous.

Le Seigneur soit avec vous et avec votre esprit.

Prions:

Dieu, qui avez fait marcher les fils d'Israël à pied sec dans la mer, et qui avez montré aux trois Rois mages le chemin vers Vous, guidés par une étoile: accordez-nous, nous Vous en prions, à nous aussi, un chemin protégé, et un temps serein, afin que sous la conduite de Votre ange, nous puissions parvenir heureusement au lieu où nous nous rendons, et enfin au port du salut éternel.

Dieu, qui avez gardé le fils Abraham sain et sauf sur toutes les routes de sa pérégrination, quand Vous l'avez fait sortir d'Ur en Chaldée: nous Vous supplions de nous protéger, nous, Vos serviteurs:

soyez pour nous, Seigneur, une aide pour avancer,
notre consolation sur le chemin,
un ombrage dans la chaleur,
notre manteau contre la pluie et le froid,
notre véhicule dans la fatigue,
notre secours dans l'adversité,
notre bâton dans les lieux glissants,

notre port en cas de naufrage;

afin qu'à Votre lumière nous parvenions sans encombre là où nous nous dirigeons, et qu'enfin nous puissions rentrer chez nous sains et saufs.

Soyez attentif, Seigneur, à nos supplications, et disposez la route de Vos serviteurs dans la prospérité de Votre salut; afin qu'au milieu des péripéties de la route, et de notre vie, nous soyons toujours protégés par Votre secours.

Accordez-nous, Seigneur tout-puissant que notre famille avance sur le chemin du salut; et qu'en suivant les enseignements de saint Jean-Baptiste, le Précurseur, elle parvienne en sécurité auprès de Celui qu'il a annoncé,

Jésus-Christ Votre Fils, qui vit et règne avec Vous dans l'unité du Saint-Esprit, pour les siècles des siècles, Amen!

Avançons dans la paix, au Nom du Seigneur. Amen!

Le secret de la paix, au sein des plus grosses calamités

Voici comment une sainte âme crut avoir appris ce secret de Notre Seigneur Lui-même.

Tout ce qui arrive, dans le monde, est pour le mieux, du point de vue de l'amour que Dieu porte à ses créatures.

J'ai compris que dans les événements terribles qui surviennent comme guerres, incendies, inondations, volcans, tremblements de terre, perte de vaisseaux en mer, travailleurs engloutis dans les mines, populations entières détruites par des cataclysmes, la miséricorde de Dieu a alors beau jeu sur chaque âme atteinte par cette mort terrible.

J'ai compris que l'épouvante qui précède sert souvent d'expiation à bien des fautes, à bien des vies mauvaises ou inutiles et il se passe, à cet instant suprême, entre l'âme et Dieu, des mystères de pardon inénarrables. Il y a aussi un très grand nombre de pécheurs sauvés par l'épouvante du genre de mort qui les atteint.

Il y a aussi un très grand nombre d'âmes pour qui la vie ordinaire eût été leur perte, et à qui des années passées sur un lit de douleur est une grâce qu'elles reconnaîtront dans l'éternité.

Tout est donc pour le mieux.

Nous pouvons donc toujours être avec la joie et la paix dans l'âme, dans la louange incessante des miséricordes du Seigneur. Quel apaisement pour le cœur et pour l'âme!

Permis d'imprimer † François-Marie,
évêque de Bayeux.

A Jésus crucifié

O mon JÉSUS crucifié,
par les mérites de votre très précieuse mort, et par l'intercession
de MARIE, accordez-moi de vivre tous les jours
qui me restent encore de cette pauvre vie qui est mienne,
dans une généreuse et réparatrice donation d'amour.

Que je vous cherche, ô mon Dieu,
jour après jour, avec un désir sincère, avec pureté d'intention,
avec une amoureuse fidélité dans l'action.
Puisse-je, ô Seigneur, par votre miséricorde, rattraper
ce degré d'amour et d'union à vous, où je me trouverais
si je n'avais pas fait si souvent obstacle à votre dessein sur moi.

Je sais que vous ne regardez pas au temps mais à l'amour.
Aidez-moi, je vous en supplie, à vous donner tout,
dans la mesure que vous voulez de moi,
comblant vous-même l'immense part qui
manque, par rapport à votre amour même,
et à celui du Cœur Immaculé de MARIE. Je l'espère fermement.
Amen.

...us contre les attaques du Malin et les attraits de sa

...us Vous offrons nos prières pour les âmes les plus
...les plus délaissées.

...s bénies, si puissantes sur le Cœur de Dieu, inter-
...us auprès de Sa Majesté.

... à nous livrer humbles et repentants à l'Esprit
...nage de Marie, dans sa confiance éperdue, dans
...invincible pour que dès ici-bas la Trinité trois fois
...ée, adorée et glorifiée par la sainte Eglise.

Ensemble pour toujours

...pensé à ce qui pourrait consoler ceux qui pleu-
...i en cette présence réelle et ininterrompue de nos
...ciel.

...tion claire, pénétrante, que par la mort ils ne sont
...éloignés, ni même absents, mais vivants, près de
..., transfigurés, et n'ayant perdu dans ce change-
...ni une délicatesse de leur âme, ni une tendresse de
...une préférence de leur amour, ayant, au contraire,
...nds et doux sentiments, grandi de cent coudées…

...s, l'entrée dans le Royaume est la montée éblouis-
...umière, dans la puissance et dans l'amour.
...que-là, n'étaient que des chrétiens ordinaires,
...rfaits;
...ent que beaux deviennent bons;
...t bons deviennent sublimes!

D'après Mgr Bougaud

Prière en faveur des familles et amis

Mon Dieu, Notre Père, je vous implore,
Vous qui avez envoyé Votre Fils Jésus-Christ
pour sauver les hommes du péché, de bien vouloir accepter
ma si pauvre personne dans ce combat spirituel,
en faveur des âmes du purgatoire.

Permettez-moi ainsi de revêtir l'armure de la foi
pour laisser éclater et proclamer tout mon amour.
Je vous offre cette dizaine[1] en méditant sur toute la souffrance
qu'a endurée Notre Seigneur Jésus-Christ
et Sa tendre maman la Très Sainte Vierge Marie.

Je vous en prie, intervenez pour nous, qui sommes si misérables
sur cette terre de pèlerinage et particulièrement,
pour toute notre famille,
pour nos amis qui sont si éloignés de Vous.

Qu'ils retrouvent la bonne route qui les conduira à prier
pour tous leurs défunts en souffrance dans le purgatoire.

Mon Dieu, je vous aime et de toute mon âme, je vous remercie
d'avoir laissé l'Esprit Saint me guider.

Prière dictée par Jean, le 14 février 1998

Prière au Cœur de Jésus

O Cœur de Jésus, broyé à cause de nos péchés, Cœur attristé et
martyrisé par tant de crimes et de fautes,
Cœur, victime de toutes les iniquités,
Je Vous aime de toute mon âme et par-dessus toutes choses.

_____
1. 1 Pater, 10 Ave.

Je Vous aime pour ceux qui Vou
Je Vous aime pour ceux qui Vou
de régner,
Je Vous aime pour ceux qui V
sainte Eucharistie,
Je Vous aime pour les âmes in
sacrement d'amour par leurs
Cœur de Jésus, pardonnez au
qu'ils font!
Cœur de Jésus, soutenez ceux c
Cœur de Jésus, soutenez tous c
Cœur de Jésus, faites que la s
saint Evangile, seule sauvega
Cœur de Jésus, que les famill
droits!
Cœur de Jésus, régnez sur ma
Cœur de Jésus, que votre règn
Marie!
Amen.

Aux âmes

*Prions pour les âmes du purg
fice de la messe pour aider à leu*

*Elles nous le rendront au ce
précieuse, quasi irremplaçable,*

Ames bénies de Dieu nos so
de Sa miséricorde, montrez-n
et persévérante à la volonté d
tion due à Jésus, l'hôte divin
ges, les ingratitudes et les in
les persécutions de ceux qui l
de la sainte Eglise.

Protég
séduction

Seigne
abandonn

Et vous
cédez pou

Aidez-r
d'amour,
son espéra
sainte soit

J'ai souv
rent, c'est l
bien-aimés

C'est l'in
ni éteints,
nous: heur
ment glorie
leur cœur, r
dans ces pro

Pour les b
sante dans la
Ceux qui, j
deviennent p
ceux qui n'ét
ceux qui étai

Chapelet pour les âmes du purgatoire

1 Credo — 1 Pater — 3 Ave

Quand vous priez… (Matthieu 6,4-5)

Pour toi, quand tu pries, retire-toi dans ta chambre, ferme sur toi la porte et prie ton Père qui est là, dans le secret, et ton Père qui te voit dans le secret te le rendra.

1 Pater

Commentaires:

Que les hommes sachent que le Très-Haut est là, présent en chacun de nous, le Christ en est la preuve irréfutable. Oui, en priant pour les âmes du purgatoire, on prie pour soi-même et en même temps, on s'évite bien des souffrances, en accédant à l'Amour vrai.

10 Ave

Répons: Jésus, qui nous donne la foi, est béni.

Et ensuite:

La méditation du rosaire, avec ses phrases limpides et si riches de sens, ne peut que combler l'âme, surtout en évoquant, tour à tour, les ambiances et les événements de la vie de Jésus et de Marie.

Le chapelet est une arme contre le démon, ainsi qu'une bouée de sauvetage qui nous sortira de l'angoisse, de la sécheresse du cœur, pour nous remettre sur la voie de la sagesse.

* * *

Prions pour ceux qui nous calomnient… (Luc 6,28)

Bénissez ceux qui vous maudissent, priez pour ceux qui vous diffament.

1 PATER

Commentaires:

Contre nos ennemis visibles et invisibles, dans toutes nos nécessités, épreuves ou difficultés, soyons tout amour, pardonnons
et prions avec ferveur.

Recevons-les avec un cœur débordant d'amour.

10 AVE

Répons: Jésus, qui prie et pardonne, est béni.

Et ensuite:

Donnons tout l'amour dont nous sommes capables, pour toutes les âmes, qu'elles soient sur terre ou au purgatoire.
Surtout méfions-nous du Grappin, toujours il sème la discorde
et détruit tout ce qui est amour.

* * *

Un démon ne peut sortir… (Marc 9,29)

Il leur dit: «Cette espèce-là ne peut sortir que par la prière et
le jeûne.»

1 PATER

Commentaires:

Il nous appartient de prier avec ferveur, autant pour les incré-
dules, que pour ceux qui sont sous l'emprise du mal.

Depuis que le Verbe s'est fait chair, la prière doit être entendue
et dépasser la matière.

10 AVE

Répons: Jésus, qui prie pour tous ceux qui sont en perdition,
          est béni.

Et ensuite:

Prions intensément pour toutes ces âmes en détresse et acceptons sereinement toutes les souffrances.

* * *

Si deux s'accordent… (Matthieu 18,19-20)

Je vous le dis, en vérité, si deux d'entre vous, sur terre, unissent leurs voix pour demander quoi que ce soit, cela leur sera accordé par mon Père qui est aux cieux.

1 PATER
Commentaires:

Il est essentiel de mettre un frein puissant à notre langue et à notre pensée, en nous unissant à plusieurs, pour porter toute notre affection vers Dieu notre Père.

Ainsi, nous prions pour toutes les âmes en perdition dans notre monde et, particulièrement pour celles qui sont au purgatoire dans les petites lumières.

10 AVE

Répons: Jésus, qui nous rassemble dans la prière, est béni.

Et ensuite:

Il est si réconfortant, de se retrouver entre amis, pour prier et méditer en commun.

Le chapelet nous permet de vivre la vie de Jésus, en compagnie de la Sainte Vierge, ce qui est une grâce, car ils sont bien là, avec nous.

* * *

Priez le Seigneur… (Luc 10,2)

«La moisson est abondante mais les ouvriers sont peu nombreux. Priez donc le Maître de la moisson, d'envoyer des ouvriers à la moisson.»

1 PATER

Commentaires:

Recherchons des ouvriers de la foi, mais pourquoi sont-ils si tièdes au chapelet médité? et pourtant, c'est tellement réconfortant de se retrouver avec Jésus et Marie. Si l'âme se dégageait de tout ce qui n'est pas de Dieu, la moisson serait abondante.

10 AVE

Répons: Jésus, qui nous demande de rechercher des moissonneurs, est béni.

Et ensuite:

Les hommes de cette terre et toutes ces âmes qui sont au purgatoire ont tant besoin de nos prières.

Partons à la recherche des moissonneurs, en faisant confiance à la divine Providence.

Chapelet médité
à ceux qui nous ont quittés

Préambule:

Père, ouvre-leur la porte, la porte de ton ciel, la porte de ton cœur, ouvre à tous les enfants qui sont montés vers toi la porte du bonheur.

S'ils ne peuvent maintenant frapper à ta porte et s'ils doivent attendre, nous venons y frapper, y frapper fort pour eux, par notre intercession.

Père, ouvre-leur la porte, puisque à celui qui frappe avec persévérance tu as promis d'ouvrir, et quiconque demande est sûr de recevoir.

1 CREDO — 1 PATER — 3 AVE
1 PATER

ntre avec toi, Père,
vec toi, Jésus

Père, n'a rien de redoutable. Nous te
sant la crainte de t'aborder là-haut.

re. Au moment de la mort, tu nous

que par ton cœur de Père qui nous
lont la miséricorde pour toutes nos
défaut.

de l'intensité de l'amour qui désire
Maison.

donner avec sérénité entre tes mains

avec toi, Christ Jésus? Quel sera le
s soudain à mon visage lorsque j'irai

age admirable d'amour, de sympathie
d tu étais sur terre, dans toutes tes

ein de miséricorde, qui, loin de con-
ie, avide d'accorder le pardon.

de ce visage-là; une telle rencontre je
le vrai sommet de l'existence.

us les secrets cachés de tes béatitudes
s l'immense lumière de ton amour

---

1. Ils sont morts, mais ils vivent, ceux qui nous ont aimés

Après chaque grain 1 Ave

1. Ils sont morts, mais ils vivent; ils sont morts à la terre, mais ils vivent plus haut, plus près de toi, Seigneur.

2. Ils sont morts dans leur corps, mais non dans leur esprit. Leur personne et le fond de leur cœur demeurent à tout jamais.

3. Ils sont morts, mais ils vivent. Ils vivront davantage en la résurrection, mais déjà maintenant, ils vivent une vie qui surpasse la nôtre.

4. Ils sont morts, mais ils vivent. Ils ont trouvé en toi la source jaillissante qui épanouit toutes leurs énergies.

5. Ils sont morts, mais ils vivent. Ils vivent de leur amour pour toi, de leur amour pour tous; ils ne font qu'aimer, et leur vie est comblée.

6. Ceux qui nous ont aimés ne peuvent oublier leur affection pour nous.

7. Ceux qui nous ont aimés sont allés te parler de toutes nos affaires et plaider notre cause avec plus d'insistance.

8. Ceux qui nous ont aimés te portent nos soucis; leur sympathie les presse, en toute circonstance, à te prier pour nous.

9. Ceux qui nous ont aimés peuvent dans l'au-delà dépasser les limites de leur amour terrestre, et nous aider avec plus d'efficacité.

10. Ceux qui nous ont aimés savent mieux désormais où est notre véritable bonheur.

Pour terminer, 1 Gloria Patri et

«O mon Jésus, pardonnez-nous nos péchés, préservez-nous du feu de l'enfer, et conduisez au ciel toutes les âmes, spécialement celles qui ont le plus besoin de votre miséricorde.»

(*Idem* pour les autres dizaines)

2. Ils sont plus près de nous et nous entrons en contact avec eux

1. Seigneur, tu sais notre désir de garder le contact ou de renouer avec ceux que la mort a séparés de nous.

2. Tu sais mieux que nous comment notre désir peut se réaliser, par quelles voies entrer en communication avec eux!

3. La seule voie c'est toi; c'est toi qui formes le lien qui les rattache encore au monde de la terre.

4. Par le Christ nous pouvons donc les rejoindre en tout temps; nous pouvons recevoir leur aide en réponse aux demandes que nous leur formulons.

5. Par toi, Seigneur, tu les tiens près de nous; ils nous sont accessibles et toujours disponibles.

6. S'ils pouvaient nous parler, nos défunts nous répéteraient ce que tu nous as dit.

7. Ils nous rappelleraient que l'unique valeur de notre vie consiste dans l'amour, amour de toi, Seigneur, et amour du prochain.

8. S'ils pouvaient nous parler, ils nous confirmeraient ta recommandation de prier.

9. Ils nous exhorteraient à ne jamais nous plaindre de toutes nos souffrances dont l'offrande féconde est l'acheminement au plus grand bonheur.

10. Ils nous détourneraient de mettre nos espoirs dans la vie de ce monde et nous stimuleraient à vivre dans la joie de la vraie espérance.

4. La renc et a

1. La rencontre avec toi, déplairions en nourris

2. Tu es vraiment un P ouvres tes bras.

3. Tu ne veux nous juge comprend si bien et faiblesses n'a jamais fa

4. Nous serons étonnés nous prendre dans ta

5. Aide-nous à nous aba de Père.

6. Que sera la rencontr visage que tu dévoiler vers toi?

7. Il sera identique au vi que tu as révélé quar rencontres.

8. Visage du Sauveur, p damner, libère et paci

9. Je ne puis avoir peur dois la désirer comm

10. Tu m'ouvriras alors t et tu me recevras da divin.

5. <u>Nous les reverrons... le ciel</u>
<u>ne sera pas si loin</u>

1. Nous reverrons un jour tous ceux qui nous ont quittés, les plus grands adieux ne sont qu'un au revoir.

2. Nous reverrons un jour ceux qui sont partis nous préparer une place. Impatients, ils attendent que nous les rejoignions.

3. Nous reverrons tous ceux que nous avons aimés, dont nous n'avons pas pu oublier l'affection.

4. Nous les reverrons tous; la blessure causée par leur disparition sera cicatrisée.

5. Nous les reverrons tous dans le bonheur parfait; et tu te réjouiras, Père, de réunir tes enfants à jamais dans ton unique amour.

6. Le ciel n'est pas si loin, puisque tu as promis au bon larron le ciel le jour même.

7. Le ciel n'est pas si loin et personne ne sait s'il en est séparé par plus d'une minute; tu peux venir soudain nous retirer du monde.

8. Le ciel n'est pas si loin; malgré notre impression de distance infinie il est beaucoup plus près que nous ne l'imaginons.

9. Le ciel n'est pas si loin; combien nous aurions tort d'enfermer nos pensées, désirs et ambitions, dans notre vie terrestre!

10. Le ciel n'est pas si loin. Nous devons regarder dans cette direction où tout notre avenir se réalisera.

P. Galot: «Ouvre-leur la porte»

Table des matières

Avant-propos 5

Introduction 7

  1. Qui était Jean? 13

  2. Il part pour l'éternité 17

  3. Notre monde, où va-t-il? 23

  4. La famille 33

  5. L'au-delà 39

  6. Dieu, l'Esprit Saint, Jésus et Marie 51

  7. Les anges et les saints 59

  8. La communion des saints 67

  9. Le démon et les souffrances 79

  10. Liturgie, chapelet et prières 87

  11. La sagesse 95

  12. Le corps, l'esprit et l'âme 103

  13. Message du 25.08.99 suite à un pèlerinage
     à l'intention des âmes du purgatoire 111

Conclusion des parents de Jean 115

Comment situer les messages de Jean dans la foi
  et l'Eglise 117

Prières 119

  Le trentain grégorien 119

  Le Notre Père de sainte Mechtilde
  pour les âmes du purgatoire 120

  Notre Père qui êtes aux cieux … 121

  Le chapelet de saint Michel 123

  Prière d'adoration devant le saint sacrement 126

  Credo de Nicée-Constantinople 128

Angélus 129

Indulgence plénière en faveur d'un défunt 130

Prière à Notre-Dame de Montligeon 130

Souviens-toi, Seigneur 131

Indulgence de la bonne mort de saint Pie X 132

Prière liturgique pour les âmes souffrantes de l'au-delà 132

Les sept Pater Noster de sainte Brigitte 134

Chemin de la Croix 137

Litanies des saints 146

Litanies de saint Michel 152

La médaille de saint Benoît 153

Prière 154

Prière de guérison 154

Prière à sainte Germaine de Pibrac 155

Paroles de Marthe Robin 155

Avant de partir en voyage 156

Le secret de la paix, au sein des plus grosses calamités .. 158

A Jésus crucifié 159

Prière en faveur des familles et amis 160

Prière au Cœur de Jésus 160

Aux âmes du purgatoire 161

Ensemble pour toujours 162

Chapelet pour les âmes du purgatoire 163

Chapelet médité à ceux qui nous ont quittés 166